Le jeu de l'assassin

la courte échelle

Laurent Chabin

Le jeu de l'assassin

la courte échelle

Les éditions de la courte échelle inc.
5243, boul. Saint-Laurent
Montréal (Québec) H2T 1S4

Directrice de collection:
Annie Langlois

Révision:
Simon Tucker

Conception graphique de la couverture:
Elastik

Dépôt légal, 1er trimestre 2005
Bibliothèque nationale du Québec

La courte échelle reconnaît l'aide financière du gouvernement du Canada par l'entremise du Programme d'aide au développement de l'industrie de l'édition pour ses activités d'édition. La courte échelle reçoit l'appui du gouvernement du Québec par l'intermédiaire de la SODEC.

La courte échelle bénéficie également du Programme de crédit d'impôt pour l'édition de livres — Gestion SODEC — du gouvernement du Québec.

Données de catalogage avant publication (Canada)

Chabin, Laurent

Le jeu de l'assassin

ISBN 2-89021-770-1

I. Titre.

PS8555.H17J48 2005 jC843'.54 C2004-941748-7
PS9555.H17J48 2005

Imprimé au Canada

Laurent Chabin

Laurent Chabin est né en France, et il a vécu en Espagne pendant quelques années avant de s'installer à Calgary, au Canada. Aujourd'hui, il se consacre à plein temps à l'écriture. Il est l'auteur d'une cinquantaine de romans pour les jeunes, ainsi que de cinq romans et de nouvelles pour les adultes. Ses textes lui ont permis d'être finaliste pour le prix du livre M. Christie, d'être choisi à deux reprises au palmarès de la *Livromagie* et de recevoir deux mentions honorables au prix Champlain. Certains de ses romans et nouvelles ont été traduits en portugais et en basque. Laurent Chabin se rend souvent dans les écoles et les festivals littéraires, au Canada et à l'étranger, pour rencontrer ses lecteurs.

Claire

Depuis que la porte s'est refermée sur Denis, depuis que nous sommes plongés dans le silence et l'obscurité absolus — quelques minutes ? des heures ? je ne sais plus, j'ai complètement perdu la notion du temps —, l'angoisse m'a envahie pour ne plus me lâcher.

J'ai toujours eu peur du noir, je ne m'en cache pas, mais jamais la terreur ne m'avait paralysée à ce point. Cette faiblesse inusitée... Pourquoi ? Je tiens à peine sur mes jambes.

Les autres sont là, je le sais. Où exactement ? Je crois entendre leur respiration étouffée ou les frottements de leurs pieds sur le sol. Un effleurement, un mouvement dans l'air... Tout le monde se déplace silencieusement...

Sauf moi.

Je suis incapable du moindre mouvement. Mes pieds pèsent des tonnes, ainsi que mes mains, qui pendent lourdement le long de mon corps, inertes, dégouttantes d'une sueur glacée. Mon énergie semble s'être concentrée dans mon estomac. S'acharner sur lui, plutôt. Et sur mes poings, que je crispe jusqu'à m'écorcher les paumes.

La tension est insoutenable. Je suis parcourue de longs frissons et j'ai du mal à respirer, comme autrefois, petite fille, quand ma mère éteignait la lampe avant de disparaître jusqu'au matin. Et, comme autrefois, je n'ai qu'une hâte : que la lumière revienne enfin.

J'essaie de me raisonner, de me convaincre que, si je ne fais pas le moindre geste, si je cesse de respirer, si je me fonds dans cette obscurité, on oubliera ma présence et il ne m'arrivera rien. Mais il n'y a pas de raison qui tienne. Je ne suis qu'une poupée docile et molle entre les griffes de ma propre terreur.

De toute façon, je crois qu'avec la dernière des volontés, je ne serais pas capable de faire obéir mon corps. Celui-ci ne paraît plus m'appartenir. J'ai l'impression de n'être plus que la spectatrice impuissante de moi-même, que mon esprit est la seule chose qui fonctionne encore dans un corps qui m'abandonne.

Je me demande ce que fabriquent les autres. Ils ne me sont d'aucune aide, hélas. Peut-être ont-ils peur, eux aussi. Je ne parviens pas à imaginer d'autre sentiment que cette peur affreuse du noir que je n'ai jamais su dominer.

Un picotement aigu derrière l'oreille. Est-ce que le sang a cessé de couler ? La sueur dégouline sur mon front, descend sur mon nez, mes joues.

Malgré cette irrésistible envie de m'éponger d'un revers de main, il m'est impossible de lutter contre mon immobilité. Et les gouttes glacées continuent leur voyage paresseux sur mon visage, atteignent mes lèvres, mon menton. L'une d'elles se balance en équilibre au bout de mon nez. La démangeaison est intolérable.

Mes paupières sont lourdes. Je me laisse aller et je ferme les yeux, pensant que ça va me calmer. Pourtant, je ne parviens plus à déglutir et, à ma grande honte, ma salive commence à couler au coin de mes lèvres.

Dans une ultime rébellion, je serre les dents, m'enfonce les ongles dans la peau. Puis mon diaphragme se coince à son tour et la poitrine me brûle. Le silence et l'obscurité n'en sont que plus terrifiants.

Et, soudain, je sens qu'il est derrière moi. Qui ? Il ou elle, d'ailleurs ? Comment savoir ? Cette présence, ce souffle imperceptible dans mon dos, que je devine plus que je ne l'entends... Qui sait même si je ne l'invente pas de toutes pièces ?

Non, je n'invente rien. Je sens maintenant ses mains se poser sur le haut de mes épaules, ses doigts se déplier lentement, se glisser autour de mon cou, se refermer sur lui... Et sa voix chaude — et combien glacée en même temps ! — qui me susurre dans un souffle presque inaudible :

— Tu es morte !

C'en est trop. Je n'en peux plus. Mes doigts se détendent complètement, je ne sens plus mes jambes. Incapable de crier, je ne peux que laisser échapper un long râle et je m'effondre sur le sol.

Corinne

C'est ridicule. Jamais je n'aurais dû accepter de jouer à ce jeu ! Nous sommes là dans le noir, à faire semblant d'avoir peur comme des enfants. Enfin, semblant…

Malgré moi, la tension m'a gagnée. Je me sens nerveuse et j'en ai honte. Ce silence, tandis que la neige continue probablement de tomber dans la nuit sur ce chalet perdu… Ça devient insupportable.

J'ai avancé de quelques pas, au hasard. C'est la règle. Les autres aussi se déplacent le plus silencieusement possible. C'est du moins ce que j'imagine. Parce que j'ai beau tendre l'oreille, je ne perçois aucun son. Pas le moindre souffle. On dirait que la peur m'a bouché les oreilles…

Ça commence à m'énerver. L'assassin aurait dû frapper depuis un bon moment. Et la lumière revenir. Pourquoi attendre aussi longtemps ? Ça n'a plus de sens, on se moque de nous. Qui a tiré la marque ?

Je parie que c'est Robert. Ça lui ressemble de faire durer le plaisir, de pousser ainsi la farce jusqu'à l'absurde. Il doit trouver ça drôle, l'innocent. Pour ma part, je ne vois pas ce que ça a d'amusant. J'en ai assez ! Je voudrais que ça cesse.

Et puis, tout d'un coup, un cri rauque. Un cri ? Que dis-je, un gémissement de bête fatiguée, blessée ! Et le bruit sourd d'un corps qui s'écroule sur le sol.

Non, quel cinéma ! C'est vraiment trop ! Je suis certaine que c'est Claire. J'ai reconnu sa voix dans cette longue plainte. Une voix de crécelle brisée. A-t-elle besoin d'en faire autant ? Quelle poseuse !

C'est à la limite de l'exhibitionnisme. Ce goût du théâtre, cette envie perpétuelle de se montrer, de vouloir être le centre du monde... Et, vu qu'elle ne brille pas par sa conversation, c'est toujours par ce genre de comportement qu'elle tente de se signaler. Cris, soupirs, gémissements. Ou des boucles d'oreilles comme elle en porte ce soir, véritable quincaillerie ambulante...

Bon, enfin, ce cirque signifie au moins que nous verrons bientôt le bout de cette plaisanterie. Il n'y a plus qu'à attendre Denis. Si monsieur veut bien se réveiller...

Le contraire de Claire, sa femme, ce garçon. Effacé jusqu'à l'inexistence. Transparent, inodore... Il doit déjà être rouge de honte, de l'autre côté de la porte. Lui aussi, il a dû reconnaître la voix de Claire. Je me demande s'il sera capable de compter jusqu'à dix sans se tromper. Pauvre Denis ! Le sort se sera acharné sur lui, ce soir...

Ça y est. Les dix secondes se sont écoulées. Allez, Denis, ouvre cette porte et qu'on en finisse ! C'est terminé !

Silence. Qu'est-ce qu'il fabrique, bon sang ? Il s'est évanoui, lui aussi ? Ce n'est qu'un jeu, Denis ! Un jeu stupide, mais un jeu, rien qu'un jeu. Entre donc, tonnerre !

Ah ! ça y est. La porte s'ouvre. Un rai de lumière tranche l'obscurité. Une ombre se profile dans l'encadrement de la porte. L'ombre bouge avec lenteur, hésite, étend un bras, tâtonne. Allez, mon grand, encore un effort, tu y es presque !

Et la lumière jaillit enfin, éblouissante. Je dois me frotter les yeux un instant avant de pouvoir regarder autour de moi. Il n'y a pas de quoi rire. Quel spectacle consternant ! Quelle pitié ! Nous sommes là, l'air aussi penaud que des adolescents pris en faute, debout, disséminés dans la pièce dont les rares meubles ont été repoussés le long des murs.

Et Claire — oui, c'était bien elle ! —, Claire allongée sur le sol, en vrai cadavre. Très convaincante. Elle repose sur le dos, une jambe légèrement repliée. Sa jupe est remontée sur la cuisse. Assez haut. Elle l'a fait exprès, j'en mettrais ma main au feu !

Nous nous dévisageons, les uns après les autres. Rachel se trouve de l'autre côté du « cadavre », à deux pas à peine de sa tête. Elle a l'air contente, elle. L'idée était la sienne, c'est vrai. Son éternel sourire aux lèvres — destiné à son ange gardien ? Il lui en faut peu. Ce qui est certain, c'est que je ne l'ai jamais vue pleurer. Tant mieux pour elle…

En retrait, derrière elle, j'aperçois Robert, un peu rouge. L'émotion ? Non. La chaleur, plutôt. C'est vrai qu'on crève, ici. De toute façon, je ne crois pas que ce soit lui. Dans ce cas, il lui aurait fallu manœuvrer habilement, après le «crime», pour se retrouver là sans avoir bousculé Rachel au passage.

Sur ma gauche, l'un près de l'autre — trop près même, est-ce un hasard ? —, Gary et Francine. Francine est légèrement ébouriffée. Ses joues m'ont l'air plutôt colorées, elles aussi. Pour une autre raison, elle ! Je me demande si son corsage n'est pas un peu plus ouvert que tout à l'heure… Ils n'ont pas l'air d'avoir eu peur du noir, ces deux-là !

À ma droite, à mi-chemin entre la porte et moi, Alain. Égal à lui-même. Ses yeux perçants passent la pièce au peigne fin. Le grand savant est déjà au travail, repérant chaque position, enregistrant chaque détail, analysant les informations. Sérieux, jusque dans la futilité… C'est lui qui aurait dû tirer la carte du détective, nous en aurions fini plus vite !

Enfin, le dos contre la porte, aussi droit qu'un I, plus pâle que de coutume, Denis. Son regard inquiet erre dans la pièce comme celui d'un enfant qui viendrait de découvrir que les cadeaux, sous le sapin, ont déjà été ouverts et qu'il ne reste plus pour lui qu'un amoncellement de papiers multicolores déchirés...

Relaxe, Denis ! Tu as tiré la mauvaise carte, ce n'est pas grave. Allez, bouge maintenant, jouons ce maudit jeu jusqu'au bout !

Non. Pas un mot. Pas un mouvement.

Ce n'est pas possible ! Il n'a pas compris ! Bon sang, Denis, réveille-toi ! J'ai les jambes ankylosées et je voudrais bouger, bavarder, boire un verre. Alors pose tes questions, mène ton enquête et ne perds pas de temps à aller voir si ta femme a besoin d'un oreiller !

Combien de temps vais-je tenir avec cette interdiction de parler ? Nous ne pouvons que répondre aux questions du détective — et quel beau détective, misère ! — et nous n'avons pas le droit de mentir. Sauf le «tueur», bien sûr. Et la victime, qui est censée être morte.

Il faut dire qu'elle prend son rôle au sérieux, la victime. Pas bougé d'un poil. Mais bon, quand même, ce n'est pas une raison pour que son détective de mari aille s'agenouiller auprès d'elle pour vérifier... pour vérifier quoi, au juste ? Qu'elle fait vraiment semblant ? Qu'elle ne s'est pas blessée en tombant ? Que son maquillage tient bon ? J'ai envie de hurler. C'est du théâtre, Denis ! C'est un jeu !

Nous en sommes gênés pour lui. Je remarque que les autres détournent les yeux pour ne pas pouffer de rire à la vue de ce pauvre garçon qui palpe doucement la «morte», effleure ses cheveux, son visage, son cou, comme s'il essayait de la ressusciter. C'en est risible. Je m'attends presque à ce que Claire se redresse pour lui rire au nez.

Rachel devrait intervenir et le rappeler à l'ordre. L'atmosphère devient vraiment pénible…

Finalement, Denis se relève en soupirant. Il n'a pas l'air de savoir où il habite… Il vaudrait peut-être mieux arrêter le jeu. Je tente d'intercepter le regard de Rachel, de lui faire comprendre que la soirée est fichue. En vain. Elle couve notre ami des yeux avec cette gentillesse amusée dont elle ne se départ jamais, paraissant l'encourager à continuer malgré tout.

Denis hoche la tête, il se tourne vers Robert et, laborieusement, il réussit à articuler :

— Où étais-tu quand le crime a été commis ?

Quel niais ! Quel genre de réponse attend-il donc ? Chacun d'entre nous aura exactement la même. PERSONNE NE PEUT MENTIR, SAUF L'ASSASSIN ! Au contraire : L'ASSASSIN DOIT MENTIR ! Personne n'a pu se déplacer après le «crime», sauf le tueur, qui ne peut prétendre que le contraire.

Robert, c'était prévisible, ne manque pas de laisser tomber, avec un rictus moqueur :

— Je n'ai pas bougé d'ici.

Je jette un coup d'œil vers Rachel. Elle secoue la tête, l'air affligé.

De nouveau, le silence. J'admire presque Claire de pouvoir garder sa pose aussi longtemps sans sourciller. Près de son pied gauche se trouve un morceau de papier chiffonné, que je n'avais pas remarqué jusqu'à présent. Je devine de quoi il s'agit. La marque noire. L'«assassin» l'a sans doute jetée là une fois son forfait accompli.

Mes yeux remontent jusqu'à Denis, qui se tient toujours près de sa femme. On dirait qu'il dort debout. J'ai un mal fou à me contenir. À ce rythme-là, nous en avons pour jusqu'à demain. Après-midi...

Enfin, le «détective» semble revenir à lui et s'adresse à notre hôtesse.

— Rachel, as-tu senti un mouvement près de toi après le crime ?

Ah ! Denis se réveille. La question vise Robert, qui, s'il est le coupable, aura dû contourner Rachel pour se rendre à la place qu'il occupe en ce moment.

La réponse de Rachel ne tarde pas :

— Non, je n'ai perçu aucun mouvement.

C'est clair et net, au moins. Mais ça ne prouve rien. Robert a pu être très silencieux. Il a beau être un blagueur de première et avoir davantage l'air d'un éléphant que d'une souris, il est capable d'être discret quand il le veut. Dommage qu'il ne le veuille pas plus souvent...

Bref, un coup d'épée dans l'eau. Denis se tourne ensuite vers Alain.

— Et toi, as-tu remarqué quelque chose d'anormal ?

— Il faisait noir, réplique Alain avec un sourire un brin narquois.

— Oui, bien sûr, reprend Denis en avalant péniblement sa salive. Ce que je veux dire, c'est qu'entre le moment où Claire a crié et maintenant, tu as peut-être entendu des bruits, senti des mouvements, je ne sais pas, moi...

Denis connaît suffisamment Alain pour savoir que, si le moindre écart de température a affecté son voisinage, il n'aura pas manqué de s'en rendre compte sur-le-champ. À moins, là encore, qu'il ne soit lui-même l'assassin... Sa réponse, quoi qu'il en soit, ne permet pas d'être fixé :

— Non, je n'ai rien noté de particulier.

— Et toi, Corinne ?

Je ne réponds rien. À quoi bon ? Je me contente de hausser les épaules d'une façon significative. Cette parodie d'interrogatoire est inutile. Et je ne crois pas que la situation s'améliorera dans la soirée. Denis n'est pas taillé pour ce genre de jeu et il est clair qu'il n'y prend aucun plaisir. Les autres non plus, d'ailleurs.

La seule qui semble y croire encore est Claire, qui n'a toujours pas bougé d'un centimètre. J'en ai des fourmis dans les jambes pour elle. Denis lui jette des coups d'œil à la dérobée. Lui si discret, je suppose qu'il est gêné de la façon dont sa femme montre ses jambes. Je suis certaine qu'Alain, étant donné sa place et son angle de vue, a déjà remarqué la couleur de sa culotte... Denis s'en est sûrement rendu compte.

Les minutes s'écoulent au ralenti, des minutes engluées dans la mélasse... Je lance un regard désespéré à Rachel. Cette soirée devient une véritable catastrophe.

Cette fois, elle paraît comprendre. Enfin, j'espère. Avec son plus beau sourire, elle lève une main verticalement et place l'autre par-dessus horizontalement. Temps mort. Elle annonce de sa voix suave :

— Claire, je crois que tu peux te relever à présent. Tu vas attraper des crampes.

Claire a pourtant l'air d'apprécier sa posture puisqu'elle ne daigne pas remuer le bout de l'oreille.

— Claire ! dit Denis d'un ton agacé. Tu n'as pas l'intention de rester comme ça jusqu'à demain matin ?

Claire ne se prononce pas sur ses intentions. Là, elle commence à pousser, je trouve. Est-ce qu'elle attend qu'un de ces messieurs vienne lui pratiquer le bouche-à-bouche, par hasard ?

Rachel toussote. Robert, derrière elle, fronce les sourcils. Gary et Francine avancent d'un pas. Alain les imite. Rachel nous dévisage les uns après les autres, visiblement interloquée.

Denis est au comble de la gêne. Il s'accroupit près de sa femme, prend sa tête dans ses mains et la soulève un peu.

— Claire, voyons, murmure-t-il. Ça n'a pas de sens.

Devant la totale absence de réaction de Claire, nous nous rapprochons lentement. Quel est ce nouveau jeu ?

Et puis, sans prévenir, Denis se met à hurler :

— Claire, arrête ça immédiatement ! Ce n'est pas drôle !

Il tremble de la tête aux pieds. Que se passe-t-il ? C'est la première fois que je le vois dans un état pareil. Il a perdu tout contrôle de lui-même.

Du coup, Alain se précipite, écarte Denis d'un geste vif et s'agenouille près de Claire. Il soulève une de ses paupières à l'aide de son pouce et il pose son oreille sur sa poitrine. Il reste longtemps dans cette position. Plus personne n'ose bouger le petit doigt.

Enfin, Alain se redresse, blanc comme un linge.

— Elle… elle a cessé de respirer, bredouille-t-il. Je crois qu'elle est morte. Je veux dire, vraiment morte…

Robert

Tout le monde a l'air pétrifié. Denis davantage que les autres. Une vraie statue de sel. Seules ses lèvres tremblent. Son teint est plus gris que jamais, ses yeux hagards.

Alain est encore à genoux près du corps de Claire. Denis se tient juste derrière lui. Je me demande s'il ne va pas s'écrouler à son tour.

Rompant cette espèce de torpeur qui nous immobilise, je m'approche de lui. C'est tout juste s'il ne me tombe pas dans les bras. Pauvre vieux ! Je lui mets un bras sur l'épaule. Il frissonne. Maudite soirée !

Mon mouvement a eu pour effet de réveiller les autres. Corinne, Francine et Gary se précipitent à leur tour vers le cadavre. S'imaginent-ils que leur sollicitude soudaine va le ressusciter ?

Alain a un geste agacé qui les arrête net.

— Personne ne bouge !

Holà! Qu'est-ce que c'est que cette nouvelle attitude ? Pour qui il se prend, Alain ? Il a vu trop de films. Il faudrait peut-être lui signaler que la pièce est terminée ! Et que, de plus, il se trompe de rôle...

— Il faut appeler un médecin, ajoute-t-il froidement.

— Et... la police ?

Je me tourne vers Rachel, qui vient de prononcer cette phrase d'une voix blanche.

Elle n'a pas bougé. Ses yeux restent fixés sur Claire, dont la tête se trouve presque à ses pieds. Elle n'a pas l'air à l'aise. Je la comprends. C'est elle qui a organisé tout ça. La soirée, le jeu... Je ne veux pas insinuer qu'elle est responsable de ce qui vient de se produire, mais elle doit être dans ses petits souliers.

— Un médecin d'abord, réplique Alain. Le jeu est terminé, Rachel. La police ne sera d'aucune utilité. Il faut voir d'abord si on peut faire quelque chose pour Claire.

— Tu veux dire que...

— Je ne veux rien dire. Je ne suis pas médecin, moi, justement. Ce que je constate, c'est qu'elle ne respire plus et...

— Un massage cardiaque ! s'écrie Corinne.

Et, sans attendre, elle se jette sur le corps inerte de Claire et s'acharne sur lui en véritable furie. Je n'ai jamais vu pratiquer de massage cardiaque auparavant, mais la violence que Corinne met dans ses gestes me donne plutôt l'impression qu'elle voudrait l'achever, si ce n'était déjà fait ! J'en ai froid dans le dos.

Évidemment, je sais qu'elles se détestaient. Tout le monde le sait. Leurs disputes sont proverbiales et hautes en couleur. Ce matin encore, elles ont failli en venir aux mains. À cause de Gary, qui s'en étonnera ?

Corinne, qui romprait volontiers sa solitude avec lui, était suspendue à ses lèvres et le dévorait avec les yeux d'une adolescente amoureuse, jusqu'à ce qu'elle remarque que Claire, sans aucun égard pour Denis, jouait un jeu identique d'une façon particulièrement provocatrice. Sans parler de Francine — qui se montrait un peu plus discrète, pour sa part.

Corinne, avec ses fesses en gouttes d'eau et sa poitrine plate, ne tenait pas la route face à la minijupe de Claire et à son décolleté vertigineux. La scène amusait Rachel, qui raffole de ce genre de situation, et ce jouisseur de Gary était aux anges de se voir l'objet d'une telle dispute. Trois femmes autour de lui à tourner comme des mouches, il pouvait se rengorger, l'animal ! Denis, lui, semblait absent. Ce qui ne le changeait guère.

Les remarques acides ont commencé à fuser entre les deux rivales et, l'exaspération due au confinement aidant, les injures se sont mises à pleuvoir. Puis le ton est monté très vite et Corinne a giflé Claire, qui s'est effondrée en larmes, avec son sens habituel de la comédie.

Corinne a marmonné de vagues excuses et est allée s'asseoir dans un coin. Elle n'a plus ouvert la bouche de la journée, mais Claire n'a pas cessé de la harceler pour autant, de sa manière de fausse ingénue à laquelle il est difficile de répliquer.

Les anecdotes de ce genre ne manquent pas. Claire et Corinne, c'étaient chien et chat. Avec Corinne dans le rôle du chien, partant au quart de tour à la moindre pique, et Claire prenant plaisir à jeter de l'huile sur le feu.

C'est pourquoi, en la voyant s'acharner ainsi sur le corps de Claire, je me demande s'il n'y a pas dans son attitude davantage un désir de vengeance — plus ou moins inconscient, peut-être — que celui de le ramener à la vie.

Alain, cependant, ne bronche pas. J'en déduis que la vigoureuse manipulation de Corinne est effectuée selon les règles de l'art. Alain ne laisse rien passer qui ne soit certifié par les armées de dictionnaires qu'il semble avoir ingurgitées au cours des années. L'erreur la plus minime aurait déjà suscité un discours bien senti.

Corinne passe donc Claire au laminage sous l'œil attentif du maître. On dirait qu'elle veut lui défoncer la poitrine. Je n'aurais jamais pensé qu'elle puisse avoir autant de force dans les bras. C'est impressionnant. Au bout d'un moment, une mousse légère déborde des lèvres de Claire. Elle en a le menton barbouillé. Je préfère détourner les yeux…

C'est Denis qui, tout à coup, intervient. Il a l'air furieux. Il repousse brusquement Corinne sur le côté.

— Comment oses-tu ? gronde-t-il. C'est... c'est dégoûtant.

Corinne se retire, muette de surprise.

Je comprends l'attitude de Denis. Voir le corps de sa femme malmené ainsi...

De toute façon, il est trop tard. Massage cardiaque ou pas, Alain a raison. Il faut appeler un médecin au plus vite. Ce qui ne sera pas facile, vu la situation présente. Il n'y a pas deux mille habitants à Saint-Vallier, et, si on compte un médecin parmi eux, il n'est pas sûr qu'il puisse arriver jusqu'ici avant demain matin.

Le chalet est assez isolé du village et, si Rachel a réussi à nous persuader de passer la soirée à jouer à ce jeu idiot, c'est parce qu'il n'y avait absolument rien d'autre à faire. La tempête de neige a débuté en fin de matinée et les routes sont devenues impraticables.

La gymnastique forcenée de Corinne n'est pas suivie des effets escomptés. Il est peu probable qu'un miracle se produise. Il est de plus en plus évident que Claire ne reviendra pas à la vie.

Rachel se dirige sans bruit vers la porte. Je la suis discrètement des yeux. Avant de sortir, elle se retourne et annonce d'une voix tremblée :

— Je vais téléphoner. Mon portable est là-haut, dans mon sac à main.

C'est vrai qu'il n'y a pas le téléphone au chalet. J'ai toujours détesté les téléphones cellulaires mais là, je dois avouer que ça peut être utile. La porte se referme sur Rachel et, bientôt, j'entends craquer le bois de l'escalier.

Denis se tient à côté de moi, l'air d'un zombi. Je le tiens, plus exactement, car il ne m'en paraît pas capable lui-même. Je lui murmure à l'oreille la première imbécillité de circonstance :

— Ne t'inquiète pas, mon vieux. Ce n'est pas grave...

Le regard qu'il me lance alors me fait rentrer sous terre. Bon sang ! Qu'est-ce qui m'a pris de proférer une ânerie pareille ? Est-ce que je voudrais lui faire croire que sa femme est en train de piquer une sieste ?

Quel imbécile je suis ! Et pourtant, comme pour m'enfoncer davantage, j'ajoute d'une voix qui sonne faux :

— Rassure-toi, ça va s'arranger.

Non, j'ai trop honte. Je sais, je suis le pitre de service, d'habitude. Et pour ça, je suis bon. Là, cependant, la situation ne s'y prête pas. J'aurais mieux fait de la fermer. D'accord, je vais me taire. Mes réflexions stupides ne lui rendront pas sa femme.

Bien sûr, Claire ne se montrait pas toujours très sympathique envers Denis et leurs goûts étaient on ne peut plus différents, mais ils étaient inséparables.

Chaque sortie, chaque voyage était pour eux l'occasion de disputes retentissantes, ce qui ne les empêchait pas de remettre ça d'année en année. Ainsi, lors de ce voyage au Brésil, l'hiver dernier — c'était l'été là-bas —, qui avait failli tourner au cauchemar.

Nous avions organisé ça à quatre : Claire, Denis, Rachel et moi. Denis, poursuivant ses chimères, ne rêvait que de suivre les traces des écrivains qu'il vénérait — et dont j'ignore jusqu'au nom —, de se perdre dans les musées ou de traîner dans des quartiers douteux en quête de ce que certains appellent l'authenticité. Moi, ces trucs-là, ça me fait rigoler. Je lui avais lancé, une fois, à Denis :

— L'aventure, mon vieux, c'est d'aller jouer aux quilles dans la Basse-Ville, pas de se faire écharper dans les bidonvilles du tiers-monde.

Claire, pour sa part, refusait de quitter les plages où elle pouvait exhiber ses fesses — qu'elle avait fort jolies ! — sous l'illusoire protection d'un string minimaliste. Denis la suivait à contrecœur et, allongé sur sa serviette, il se laissait frire en feuilletant des livres défraîchis.

Les silences de Denis étaient parfois plus lourds que les coups de gueule de Claire. Ça en plus de la chaleur, j'étouffais. L'ambiance n'avait pas tardé à m'exaspérer et j'avais persuadé Rachel de descendre avec moi jusqu'à São Paulo, ville moins touristique que Rio, histoire de changer d'air. C'est là, d'ailleurs, que Rachel avait acheté ces statuettes qui ornent maintenant quelques-uns des murs du chalet.

La suite, c'est Claire elle-même qui me l'avait racontée.

Un soir, Denis avait disparu. Il n'était pas rentré à l'hôtel et Claire, folle d'angoisse, avait harcelé la police et le consulat du Canada pendant deux jours, clamant à qui voulait l'entendre que son mari avait été enlevé ou assassiné.

Denis avait alors reparu à l'hôtel, les traits tirés et le teint jaune. Il désirait rencontrer les Indiens, avait-il expliqué de la façon laconique qui lui était habituelle, et il avait fini par échouer dans des bidonvilles où il s'était perdu et où on lui avait volé ses affaires.

Comment Denis pouvait-il croire que l'aventure fleurissait encore, telle qu'il se l'imaginait, dans des favelas où l'unique souci était de survivre au milieu de la drogue et des guerres de gangs ? Une telle naïveté ne laissait pas de m'étonner.

Claire l'avait ramené à la raison après l'avoir agoni d'injures pour s'être fait un sang d'encre à cause de ses frasques, et ils étaient rentrés ensemble à Québec.

Denis était redescendu dans son sous-sol et il s'était rassis devant son ordinateur pour se livrer à sa seule passion : la poésie. Ça, au moins, c'était un passe-temps plus inoffensif que la recherche de rêves évanouis en Amérique du Sud…

Quoi qu'il en soit, à présent, je crains que les rêves l'aient déserté pour de bon. Sans Claire, sans sa vitalité explosive, sans cette énergie qui le propulsait, j'imagine mal comment Denis s'en sortira. Pour ma part, je me sens totalement impuissant.

Heureusement, un gémissement de Corinne vient provoquer une diversion.

— Impossible, soupire-t-elle. Je n'y arriverai pas. J'abandonne.

Il est clair, maintenant, qu'un médecin ne sera plus d'une grande utilité, sauf pour déterminer la cause de la mort.

Il ne s'agit peut-être que d'un accident. L'atmosphère a été tendue tout l'après-midi — huit personnes qui ne se connaissent que trop enfermées dans ce chalet minuscule tandis que la tempête fait rage au dehors ! Et Claire, il faut avouer, s'est montrée excessivement nerveuse. À ce point-là?

Pour autant que je sache, elle n'était pas cardiaque. Excitée, oui, colérique, emportée. Hystérique, si on peut encore prononcer ce mot sans passer pour un vieux macho réactionnaire. Mais de là à mourir de peur dans une pièce obscure, il y a loin. Surtout parmi sept personnes qu'elle connaissait bien.

Non, dans le fond, je n'ai aucune idée de ce qui s'est vraiment passé. La gorge serrée, je regarde de nouveau son visage, qu'Alain examine avec attention, lui aussi.

Sans doute a-t-il remarqué la même chose que moi. Cette mousse blanchâtre à la commissure des lèvres, qui ressemble à de la bave d'escargot. Et ces marques rouges autour du cou blême. Lâchant l'épaule de Denis, je m'agenouille à mon tour, avance la main.

— C'est curieux, murmure Alain. Son visage ne montre aucune trace de crispation. On dirait qu'il est... totalement détendu.

Je me penche sur le corps. Alain a raison. Claire semble dormir dans le plus profond relâchement. C'est étrange, pour une mort aussi subite. Je n'y connais rien, mais j'aurais cru que, dans un tel cas, la mort devait être accompagnée de tension musculaire, de grimaces de douleur...

— Qu'est-ce que ça signifie ? dis-je dans un souffle.

Alain ne répond pas. Sa science, si jamais il en a eu, paraît l'avoir abandonné. Il ne peut que pointer ses doigts sur les marques rouges qui enserrent le cou de Claire.

Il se tourne vers moi, mâchoire crispée. Enfin, il relève la tête et fixe son regard dur sur Corinne, puis sur Gary et Francine.

Corinne paraît affolée. Elle a dû comprendre la terrible accusation muette d'Alain. Elle se relève d'un bond, la figure empourprée, et semble rechercher un démenti dans le regard des autres.

C'est inutile. Le silence est mortel, les visages, de marbre. Tout le monde a saisi. La cause de la mort de Claire ne présente aucun doute : notre amie a été étranglée !

Il y a quelques minutes à peine. Dans le noir. Par l'un d'entre nous…

Corinne

Le regard qu'il m'a jeté ! Et les autres ! Ils me dévisagent ainsi comme une bête curieuse. Ils sont devenus fous ! Qu'est-ce qu'ils sont en train d'imaginer ? Que c'est moi qui ai tué Claire ?

Comment aurais-je pu commettre une atrocité pareille ? N'ai-je pas essayé de la sauver, de pratiquer un massage désespéré tandis que les autres me regardaient béatement ? Si, à un moment donné, elle a eu une chance de s'en tirer, c'est pourtant grâce à moi.

Claire était mon amie, je l'affirme. Oui, je sais, elle m'énervait parfois un peu. Ce sont des choses que les hommes ne comprennent pas. Parce que nous avons le verbe haut, ils s'imaginent que nous ne pensons qu'à nous arracher les yeux. Quelle naïveté ! Les femmes se disputent, d'accord, mais ça fait partie du jeu. Dans le fond, nous nous aimons...

C'est peut-être parce que nous les exprimons —

alors qu'eux préfèrent se taire — que nos colères ou nos rancœurs ne portent pas à conséquence. Elles fondent aussi vite qu'elles surviennent. Mes rapports avec Claire ne sont pas ce que des hommes du genre d'Alain ou de Robert peuvent croire. Claire et moi, nous étions de bonnes amies.

Et puis Denis est tellement gentil...

Cependant, je vois nettement ce que pense Alain. Ce que pensent les autres, y compris Denis, d'ailleurs. Ils croient que j'ai profité de ce jeu macabre pour régler mes comptes avec Claire.

C'est de la folie. Qu'est-ce que ça signifie, régler ses comptes ? Et qu'est-ce qu'ils y connaissent, en règlement de comptes ?

D'abord, les femmes ne se tuent pas entre elles. Assassin n'a pas de féminin, que je sache. Et, puisque le coupable se trouve dans cette pièce, il n'y a guère le choix : ce ne peut être que Robert, Alain ou Gary. Il faudra s'attendre à ce que les hommes se défendent. Qu'ils se soutiennent, qu'ils mentent. C'est dans leur nature...

Pour ma part, mon opinion est nette. Robert est un imbécile heureux. Toujours le mot pour rire — enfin, lui, ça le fait rire ! —, toujours là où il ne faut pas, peut-être, mais par pure maladresse. Pas la moindre méchanceté chez lui, c'est un gros nounours.

Incapable aussi de la moindre jugeote, du moindre

calcul. Il n'y a qu'à voir les conneries qu'il vient de sortir à Denis devant le cadavre encore chaud de sa femme ! Non, Robert est absolument inoffensif. Ses grosses pattes poilues ne doivent pas faire illusion : il ne pourrait tuer une araignée qu'en s'asseyant dessus. Par mégarde.

Quant à Gary, la seule chose qui l'intéresse chez une femme, c'est de savoir s'il va réussir à la mettre dans son lit. Il ne lui causera pas plus de mal que ça. Et, avec ses yeux bleus et son air candide, il a assez de conquêtes pour ne pas en vouloir à celles qui refusent d'entrer dans son jeu. Je sais de quoi je parle…

Claire a déjà essayé de l'aguicher, c'est sûr. C'était une allumeuse et rien de plus. Plus inconsciente que vicieuse. Dans le fond, c'est Denis qu'elle visait avec ce genre de manège. Elle ne cherchait qu'à le provoquer un peu, à le pousser à sortir de son apathie. Gary le savait et il ne se préoccupait donc pas trop du cirque de Claire. Pourquoi l'aurait-il tuée ? Elle ne comptait pas à ses yeux, c'est évident.

Reste Alain. Là, c'est autre chose. Alain, c'est une tête. De nous autres, il est le seul capable de calculer, d'organiser, de planifier une horreur pareille. Parce qu'un assassinat, ce n'est pas une simple manigance comme Gary peut en monter pour séduire une femme, ou une farce comme Robert peut en inventer pour divertir la galerie. Le meurtre requiert du sang-froid et de la méthode. Et, à ce titre, je ne vois qu'Alain, parmi nous, qui présente l'étoffe d'un tueur.

De plus, lorsque la lumière s'est rallumée, tout à l'heure, et que Denis est entré dans le salon, Alain était le seul à avoir pu se rendre à sa place dans le noir sans se faire remarquer.

Robert, lui, aurait littéralement dû traverser Rachel. Quant à Gary, il se trouvait trop près de Francine pour être honnête, et tout porte à croire que ces deux-là ont profité de l'obscurité pour se livrer à autre chose qu'à l'assassinat...

Ensuite, quand Rachel a parlé d'alerter la police, c'est lui qui s'y est opposé. Ce prétexte d'appeler un médecin de toute urgence était cousu de fil blanc. J'ai nettement vu les marques rouges sur le cou de Claire quand je me suis agenouillée près d'elle pour effectuer le massage. Si je n'y ai pas trop prêté attention sur le coup, c'est parce que j'étais bouleversée. Je ne les ai pas inventées pour autant.

Alain a très bien pu l'étrangler au cours du jeu et rejoindre discrètement sa place avant que Denis revienne dans la pièce. Sans être un hercule, il est assez fort et Claire, pour sa part, n'avait pas une constitution d'athlète. Un adolescent aurait été capable de l'étouffer.

Quant au mobile du crime, ce n'est pas à moi de me prononcer là-dessus. Ce sera l'affaire de la police. Rachel a disparu pour téléphoner, j'imagine qu'elle ne se sera pas contentée d'appeler un médecin, ainsi que l'a suggéré Alain.

D'ailleurs, le seul numéro qu'elle a pu composer, puisqu'elle ne possède pas d'annuaire ici, est le 9-1-1. Et là, on ne donne pas dans le détail. Ça prendra le temps qu'il faudra, mais nous aurons droit à la totale : ambulance, voitures de police, rubans jaunes, gyrophares...

Je dois avouer que j'ai du mal à voir ce qui a pu justifier un tel crime. Nous sommes des gens ordinaires avec nos problèmes quotidiens et, sans doute aussi, nos mesquineries. Tout de même, de là à tuer de sang-froid !

Je ne comprends vraiment pas. Peut-être est-ce que je me fais des idées. Dans le fond, je ne connais pas la vie intime d'Alain. Nous sommes amis depuis l'université mais, entre l'époque de nos études et aujourd'hui, il y a eu des périodes durant lesquelles nous nous sommes perdus de vue.

Ces réunions organisées périodiquement par l'un d'entre nous sont assez récentes, en fin de compte. Une tentative de revivre notre jeunesse ?... Rachel, Gary, Denis et moi suivions les cours d'Alain, en littérature comparée, et nous nous retrouvions souvent à cinq après les classes. Je pense qu'à ce moment-là, Alain fantasmait sur Rachel, étudiante brillante et un peu étrange, et c'est sûrement à cause d'elle qu'il nous supportait. Alain, lui, du haut de son savoir, m'impressionnait.

Quant à Robert, c'était un ami de Rachel et il nous

rejoignait souvent. Si cette amitié entre deux êtres aussi différents m'a toujours étonnée, j'ai cessé depuis longtemps de me poser des questions sur la personnalité profonde de Rachel, qui reste pour moi un mystère insondable...

Claire a rejoint le groupe plus tard, introduite par Denis. Elle avait fait sa connaissance dans une soirée littéraire et, curieusement — elle si volcanique et lui si sombre —, elle s'était entichée de lui. Francine, qui semblait être son amie de longue date, l'accompagnait parfois et elle avait fini par s'intégrer au groupe.

Ces rencontres amicales s'étaient par la suite espacées, chacun ayant dû se consacrer à sa vie professionnelle. Francine avait quitté Québec pour Montréal, où elle avait trouvé un emploi d'attachée de presse. Pourtant, les contacts n'avaient jamais été rompus et, après des années, nous avions pris l'habitude d'organiser ces week-ends qui nous rappelaient une période insouciante de notre vie.

Ceci pour préciser que le passé d'Alain contient sans doute des zones d'ombre. Pour moi, du moins. Être professeur d'université n'est pas en soi un gage d'innocence. Il y en a des vicieux. Je me souviens des regards appuyés qu'il lançait à Rachel ou, plus tard, à Claire, lors de nos rencontres. Surtout à Claire, dont la tenue était souvent des plus légères.

Le sérieux d'Alain n'est peut-être qu'un masque...

Je ne sais pas. Je ne veux pas savoir, d'ailleurs. Ce qui est sûr, c'est que Claire a été étranglée et qu'il a bien fallu que quelqu'un le fasse...

Je regarde Denis du coin de l'œil. Robert le soutient avec sa maladresse habituelle, et je me demande s'il ne lui fait pas plus de mal que de bien. Il vaudrait mieux que je le remplace. Et puis j'en ai assez du regard des autres. J'étouffe. Il faut que je bouge.

Je contourne le corps de Claire, près duquel Alain monte la garde, comme s'il avait peur qu'on vienne l'examiner de trop près. Je passe derrière lui — pas trop près, non, ça me donnerait des frissons ! — et je viens me placer à côté de Denis. Je lui prends la main.

Robert s'écarte un peu, l'air gêné. Denis me regarde de ses yeux vides. Au bout d'un long moment, il me sourit faiblement et serre mes doigts dans les siens. Je me colle contre lui, approche ma bouche de son oreille et lui chuchote :

— Courage, Denis. Tu as des amis.

Il hoche la tête en exhalant un long soupir.

C'est à ce moment que la porte se rouvre et que Rachel apparaît. Je ne l'ai pas entendue descendre l'escalier. Quand elle le veut, Rachel est plus discrète qu'une souris...

— Je viens d'appeler la police, déclare-t-elle lentement. Ils feront leur possible pour arriver ici avant la fin de la nuit et vont essayer de nous envoyer un médecin. Cependant, avec la tempête, ils ne sont sûrs de rien. En attendant, ils nous demandent instamment de ne pas toucher au corps et de ne pas sortir d'ici. Aucun d'entre nous.

Sa remarque est accueillie par un silence glacial. Je ne distingue pas le visage d'Alain, qui me tourne le dos. Impossible de voir comment il a réagi. Qu'il le veuille ou non, la police sera bientôt là.

Les autres font grise mine. Il y a de quoi. Des heures à passer dans cette ambiance mortelle, autour d'un cadavre auquel nous ne pouvons même pas redonner une position décente. Des heures à nous dévisager avec suspicion, à se demander lequel d'entre nous est le monstre…

La pensée que le meurtrier de Claire se trouve à quelques pas de moi me rend malade. Mais pour rien au monde je ne sortirais de ce salon. L'idée de me retrouver seule dans une autre pièce de ce chalet perdu me paraît intolérable.

Combien de temps devrons-nous attendre confinés dans ce lieu, sans même pouvoir nous reposer ? Les quelques fauteuils et chaises qui meublent la pièce ont été entassés contre les murs avant que le jeu commence. Nous n'avons plus qu'à nous asseoir par terre.

Pourtant, personne ne bouge. Nous restons agglutinés autour du corps de Claire, comme si le moindre mouvement était une indécence. La main de Denis est toujours dans la mienne, moite de sueur. Son regard est perdu dans la contemplation de ses pieds.

— Nous n'allons pas passer la nuit plantés ainsi, déclare Rachel. Elle s'annonce longue. Nous ferions mieux de disposer les sièges disponibles et de nous asseoir.

Sa voix résonne curieusement. J'ai l'impression que l'air est tellement épais qu'elle a de la difficulté à le traverser.

Alain se relève en soupirant. Instinctivement, je recule. L'idée qu'il puisse me frôler me révulse. Surpris, Denis lâche ma main. J'ai le sentiment qu'un éternuement suffirait à le jeter à terre. Robert, soulagé sans doute de pouvoir se dégourdir les jambes, se dirige vers le mur du fond de la pièce et saisit la première des chaises empilées les unes sur les autres.

Puis il se retourne vers nous, la chaise dans les bras, et s'immobilise soudain, comme s'il allait proférer une de ses bêtises habituelles.

— Euh, bredouille-t-il, où est-ce que je la mets ?

Rachel décide de prendre les choses en main.

— Ici, dit-elle en désignant le mur le plus proche d'elle.

Gary et Francine, à leur tour, vont chercher des sièges. L'impression que le film se remet en marche après un arrêt sur image…

Alain les rejoint et, bientôt, le canapé d'osier, le

fauteuil et les trois chaises sont disposés le long des murs. Ça ressemble à un amphithéâtre dans lequel les spectateurs vont prendre place.

Sur la scène, il n'y a qu'un seul acteur. Une actrice, plutôt.

Et elle est morte…

Alain

Je ne vois aucune autre façon de procéder : le jeu doit continuer. Ça peut sembler horrible, exprimé ainsi, mais c'est la seule solution.

Personne ne peut plus rien pour Claire, et l'idée d'attendre l'arrivée de la police les bras croisés alors que nous savons que l'assassin se trouve dans cette pièce me paraît intolérable.

C'est ça le pire. Le meurtrier est là tout près de moi. Je pourrais le toucher en tendant le bras…

Nous sommes rassemblés autour du corps de Claire. Nos sièges ont été adossés aux murs, sauf celui où se trouve la porte. Denis est assis en face de moi, d'une demi-fesse, sur une chaise. C'est Robert qui l'a pratiquement planté là de force, Denis avait l'air incapable de se plier lui-même.

Robert a pris la chaise voisine. Il s'est assis pesamment, le dos voûté et les avant-bras posés sur les cuisses, la tête baissée, les mains pendant mollement entre ses jambes. J'aimerais voir ses yeux.

À ma droite, sur la troisième chaise, Corinne, qui se ronge les ongles ou se mordille les doigts, je distingue mal. Elle évite de regarder dans ma direction. Depuis un moment, depuis que j'ai constaté que Claire avait réellement été étranglée, très exactement, elle se comporte vis-à-vis de moi comme si j'avais la lèpre. Il y a quelque chose de pas clair en elle, que je devrais tâcher d'élucider.

Sur le canapé, à ma gauche, contre le mur faisant face à la porte, Gary et Francine. Qui s'efforcent de ne pas avoir l'air trop collés l'un sur l'autre. Franchement, qui s'en préoccupe, bien que ce manège soit plutôt déplacé? Il me semble qu'ils pourraient se retenir. Francine tripote nerveusement les boutons de son corsage…

J'occupe, quant à moi, l'unique fauteuil. Je n'aurais peut-être pas dû. Il aurait été plus poli de le laisser à Rachel qui, n'ayant pas été assez rapide, a dû se contenter de s'asseoir par terre. Elle est adossée au mur, près de la porte, les genoux repliés sous sa jupe ample. Difficile de savoir ce qu'elle pense. Ce dont je suis certain, c'est qu'elle pense vite et bien. C'est une cérébrale. Étudiante, elle l'était déjà…

Tout le contraire de Robert, avec qui elle est pourtant très liée depuis des années. Je n'ai jamais compris pourquoi. Robert est un ours. Un rien vulgaire. Je regarde ses mains. Des mains énormes, velues, des mains de bûcheron. Des mains d'étrangleur…

Bah ! Qu'est-ce que ça veut dire ? Si les assassins avaient une tête d'assassin, des mains d'assassin, ce serait trop facile. À quoi un assassin peut-il ressembler quand il n'est pas en train d'assassiner ? Tiens, j'aurais aimé étudier la criminologie.

Je me tourne vers Gary. L'éternel beau blond au sourire indélébile. Dents impeccables. Il m'énervait, en classe. Ses vêtements ont toujours l'air de sortir de chez le nettoyeur. Un amateur de salles de sport, également. Musclé, donc. Une poigne de fer, à coup sûr. Dans un gant de velours…

Lequel est le tueur ?

Pourquoi «le» tueur, d'ailleurs ? Parce que les criminels sont la plupart du temps des hommes ? Voilà une remarque digne de Corinne. La plus terrible meurtrière de l'histoire était une femme. Erzsébet Báthory. Plus de six cents victimes ! Égorgées, étripées, saignées à mort… C'était dans un autre siècle, je sais, sur un autre continent.

Nous n'en sommes plus là, c'est certain. Autres temps, autres mœurs. La civilisation. Nous tuons par personnes interposées, par machines interposées. Par gouvernements interposés, que nous fournissons généreusement en armes sophistiquées.

Entre nous et nos victimes, il y a un système dont nous faisons partie, mais qui nous dépasse. Nous y jouons notre rôle presque inconsciemment. Ne serait-ce qu'en allant voter…

N'empêche. Erzsébet Báthory était une femme. Les femmes tuent, elles aussi. Et, lorsqu'elles le font, elles le font proprement. Et c'est pour ça que, si c'est une femme qui a étranglé Claire, elle n'en sera que plus difficile à démasquer. Personne n'est à l'abri des soupçons.

Je pense que Corinne, si elle n'est pas folle, n'en est pas très loin, quelquefois. Il y a en elle une violence qui s'exprime parfois verbalement et qui, réprimée, doit causer des ravages dans son équilibre psychologique. Elle et Claire étaient en guerre perpétuelle. A-t-elle sombré aujourd'hui dans une folie meurtrière ?

J'ai du mal à le croire. Cependant, si elle est hors de cause, qui d'autre peut endosser le costume de l'assassin ? Francine ? C'est elle qui connaissait Claire depuis le plus longtemps. L'ennui, c'est que les positions ne concordent pas très bien. Corinne se trouvait entre elle et Claire avant le début du jeu. Francine était donc mal placée pour opérer. Si je puis me permettre ce mot…

Reste Rachel. Oui, bien sûr. Elle aurait eu le sang-froid nécessaire. Rachel est quelqu'un qui ne se laisse pas facilement prendre en défaut. Elle semble venir d'ailleurs. Remarquablement intelligente, personne ne le conteste, et si souvent perdue dans des pensées qui ne sont pas de ce monde... Elle est capable de raisonner sur la théorie du chaos ou la mécanique quantique, mais elle ne sait pas faire cuire un œuf sur le plat ni changer une ampoule !

Non, je ne vois vraiment pas par quel côté prendre cette affaire. De plus, même si Claire énervait souvent tout le monde, elle était plutôt amusante, dans le fond, et je ne vois pas qui aurait pu lui en vouloir à ce point. Le brouillard est total.

Et l'anxiété est palpable. Aucun d'entre nous n'ose rompre le silence. Pourtant, je l'ai dit : le jeu doit continuer. Le jeu de l'assassin dans le noir. Sauf que, à présent, ce n'est plus un jeu. Et qu'il n'y a plus un seul détective, il y en a sept. Autant que de suspects...

Le plus effrayant, c'est que nous nous connaissons depuis des années. Enfin, c'est ce que je pensais...

Claire avait quelque chose de fascinant. Son physique, entre autres... Et cette façon bien à elle de semer la zizanie sur son passage. Elle aurait fait perdre la tête à un trappiste. Et rendu folle la moindre de ses rivales...

Je scrute mes jeunes amis les uns après les autres. Leurs visages sont tendus, blafards. Leurs yeux se détournent quand j'essaie de croiser leur regard. Pourquoi ? Mon âge et ma position ne sont pas en cause. Un seul d'entre eux est coupable, un seul devrait être incapable de supporter le regard des autres.

Malgré tout, je comprends. Pour chacun d'eux, je suis un coupable en puissance, moi aussi ! Il n'y a plus aucune confiance, il n'y a plus d'amis. Chacun s'est replié sur lui-même, chacun reste sur ses gardes. Et la tension est telle que j'ai peur que nous ne devenions fous avant la fin de la nuit. Il faut agir. JE dois agir.

Pourquoi moi ? Parce que sinon, qui d'autre... Rachel, peut-être. Je ne m'explique guère sa passivité. Elle n'est pas du genre à subir. Elle analyse, puis agit. Sans se tromper, en général.

Je suis sur le point de me lever quand je me rends compte que, de cette manière, je vais prendre d'autorité la place du détective officiel, la place de l'accusateur public, et chacun, se sentant attaqué, risque de s'enfermer davantage dans la défensive.

Et puis mes amis m'ont souvent reproché d'être un peu pontifiant, de prétendre savoir à leur place ce qui est bon et ce qui ne l'est pas. Un léger complexe vis-à-vis de moi, sans aucun doute, et dont je ne leur tiens pas rigueur.

Ce n'est certainement pas la bonne tactique aujourd'hui. Je dois les mettre en confiance, leur faire comprendre que c'est de notre collaboration que jaillira la vérité. Je décide donc de rester assis et, autant que possible, d'éviter ce ton professoral qui les agace parfois.

— Écoutez, dis-je après m'être raclé la gorge. Ne restons pas là à nous regarder en chiens de faïence jusqu'à ce que les policiers arrivent et nous embarquent. Ce sera la grosse artillerie. Nous ne savons pas quand nous pourrons rentrer chez nous. Nous pouvons nous passer d'eux, au moins pour un moment. Nous ne sommes pas plus stupides qu'eux, et nous avons l'avantage de nous connaître.

— Qu'est-ce que ça signifie ? déclare Robert en relevant la tête.

Il me dévisage d'un air mauvais. J'en suis d'autant plus étonné qu'il est généralement le dernier à s'énerver.

— Ça signifie qu'il serait plus judicieux de démasquer le coupable nous-mêmes. Ça nous épargnera des tas d'ennuis.

— Et comment comptes-tu t'y prendre ? s'exclame Corinne. Et pourquoi est-ce toi qui veux mener l'enquête ? Monsieur Alain vaut mieux que les autres, sans doute. Monsieur Alain voit plus loin. Et monsieur Alain est innocent d'office, n'est-ce pas ?

Je m'attendais à une réaction de ce genre de la part de Corinne. Elle est excessivement nerveuse et elle a tendance à tout prendre pour elle. Quand je pense à l'époque où elle m'admirait. Sottises…

Je me tourne vers Rachel, dont le calme légendaire est mon meilleur allié, et je reprends, en m'efforçant de ne pas hausser le ton malgré la tension que je sens monter en moi :

— Ce n'était qu'une proposition. Je ne prétends pas endosser le rôle du détective à moi seul, c'est évident. Cependant, nous sommes tous dans le pétrin et...

— Non, pas tous ! intervient Gary, qui était resté silencieux jusqu'ici. Un seul d'entre nous est dans le pétrin. Il y a un salaud parmi nous, et j'espère qu'il ne s'en sortira pas si facilement. Mais c'est à la police d'effectuer ce travail et de le démasquer, pas à nous de jouer les Sherlock Holmes ou les justiciers. De quel droit...

Je ne le laisse pas continuer. Je rétorque du tac au tac :

— Il ne s'agit pas de jouer les justiciers. Il s'agit de savoir qui, parmi nous, ne mérite pas d'y être.

— Et comment comptes-tu procéder, Alain ? reprend-il avec un ricanement sec. Tu vas nous interroger les uns après les autres, avec ta sagacité habituelle, comme s'il s'agissait de faire passer un examen, et chacun répondra qu'il n'a rien vu, rien entendu. Il y aura un menteur, nous le savons aussi bien que toi. Au nom de quoi prétends-tu mettre un nom dessus ?

Je ne comprends pas l'acharnement de Gary contre l'idée de découvrir le coupable nous-mêmes. Pense-t-il réellement qu'il vaut mieux rester là à nous morfondre en attendant que les policiers viennent nous coffrer ?

Avant que j'aie pu répondre, Corinne vole à son secours, trop contente sans doute d'avoir trouvé quelqu'un qui partage son avis.

— Gary a raison, s'écrie-t-elle. Pour qui te prends-tu,

Alain ? Qui te donne le pouvoir d'agir ainsi ?

Cette fois, j'ai du mal à me contenir. Ce crétin de Gary et cette cinglée de Corinne n'ont manifestement rien compris à la situation et ils vont réussir à me faire perdre patience. Incapable de rester assis, je me lève et m'adresse à Rachel :

— Explique-leur, Rachel. Moi, j'abandonne. Et je t'abandonne le fauteuil, par-dessus le marché. J'en ai assez de cette mauvaise foi. C'est à croire qu'ils sont complices, ma parole !

J'aurais pu m'abstenir de cette dernière remarque, je l'admets. Corinne se redresse d'un seul coup et se met à hurler comme une folle :

— Ça y est ! Je le savais ! Il nous accuse ! La voilà, sa tactique ! Qui pense-t-il tromper avec ce jeu minable ? Vous ne voyez donc pas que c'est lui qui a tout organisé depuis le début et qu'il essaie maintenant de nous coller la faute sur le dos avec ses insinuations sournoises ? Pour quelle raison, croyez-vous ? C'est lui le coupable, ça ne vous saute pas aux yeux ?

Puis, se tournant vers moi, le sang à la tête, elle vocifère de plus belle :

— Assassin ! Assassin !

Rachel

Je n'ai pas tellement apprécié la manière dont Alain m'a forcée à entrer dans son jeu. Je sais qu'il s'estime le plus intelligent du groupe, et aussi qu'il me croit la seule capable de discuter sérieusement avec lui. Cependant, en m'enfermant avec lui dans ce duo d'êtres supérieurs — et je refuse de me considérer comme telle —, il m'isole des autres, il m'enferme dans une bulle qui m'empêchera d'y voir clair.

Il n'est pas question d'intelligence, ici. L'intelligence ne nous rendra pas Claire. Elle ne nous a été d'aucun secours. Claire a été assassinée pratiquement sous nos yeux et nous n'avons rien vu, rien entendu, rien compris. Comment cela a-t-il été possible ?

Alain a raison, dans ce sens où nous ferions mieux d'élucider le mystère avant l'arrivée des policiers. Ce sera plus propre. Mais ce n'est pas en continuant sur le mode du jeu que nous y parviendrons. NOUS NE

JOUONS PLUS, ALAIN !

Les fameuses petites cellules grises du détective génial ne nous seront d'aucune utilité dans le cas présent. J'ai rapidement examiné la pièce tandis que les autres s'empressaient autour du corps de Claire. Qu'y avait-il à voir ? Traces de pas, empreintes digitales, mégots de cigarettes ? Soyons sérieux...

Par ailleurs, nous sommes strictement entre nous. Ni invité au passé chargé ni inconnu au comportement douteux. Pas le moindre indice, rien qui permette d'élaborer un raisonnement.

De plus, Alain, par son attitude arrogante, est en train de se mettre les autres à dos. Il est brillant, c'est vrai, mais il en tire trop de vanité et cette vanité l'aveugle souvent, le fait passer à côté de vérités simples ou d'intuitions profondes. Et dans le cas présent, je suis certaine que l'intuition nous sera plus précieuse que l'intellect, n'en déplaise à Alain.

Nous disposons effectivement d'un avantage sur la police. Nous nous connaissons de longue date. Or, que le crime commis ait été prémédité ou non, la solution se trouve en nous, pas dans une sorte de casse-tête dont les éléments seraient éparpillés sur mon plancher sous forme d'objets révélateurs ou d'empreintes dans la poussière.

C'est là que le problème m'apparaît singulièrement opaque. À moins d'être sous l'emprise d'une folie subite

— ce qui exclut alors la préméditation —, un meurtrier n'agit que parce qu'il y est poussé par l'urgence, ou parce qu'il a une raison bien précise — une motivation qui s'est durcie avec le temps —, même si celle-ci n'est pas ce que nous pourrions qualifier de raisonnable.

La raison d'être du crime, c'est son mobile. La question importante n'est donc pas «qui a tué Claire ? », mais «pourquoi Claire a-t-elle été tuée ? ». En répondant à la deuxième question, on s'éclaircira d'emblée la première.

C'est là que le mystère s'obscurcit davantage. Qui a eu intérêt à supprimer Claire ? Si un seul d'entre nous avait l'ombre d'un mobile, ce serait au moins une piste à exploiter. Or, de ce point de vue, c'est le néant total.

Il y avait chez Claire une forte dose d'exhibitionnisme et de provocation. Elle pouvait se montrer exaspérante et elle agissait souvent en dépit de tout bon sens, créant ainsi des situations gênantes pour son entourage. Cependant, il y avait dans son attitude plus d'inconscience que de calcul. C'était une impulsive, une fanfaronne. Aucune méchanceté chez elle.

Corinne s'est déjà disputée violemment avec elle — et elle a remis ça aujourd'hui encore —, mais elle n'est pas la seule. Plus d'une fois j'ai vu éclater des crises. Robert, un jour, l'a carrément lancée dans le Saint-Laurent ! C'était ici, à Saint-Vallier, l'été dernier.

Nous avions organisé un pique-nique au bord du

fleuve, face à l'île d'Orléans. Claire n'avait pas arrêté de faire des remarques désobligeantes à Robert, qui avalait plus de saucisses que de raison. Un début d'aventure avait tourné court pour lui quelques jours auparavant et Robert, déprimé, se vengeait sur la nourriture.

Le harcèlement de Claire l'avait excédé et, alors que celle-ci voulait le forcer à courir sur les galets pour qu'il maigrisse, il l'avait attrapée, chargée sur son épaule et balancée dans l'eau froide. Toutefois, les choses en étaient restées là. Comme d'habitude.

Claire a eu des histoires de ce genre avec tout le monde. Ça faisait partie de son caractère. Elle était néanmoins une amie et savait aussi être divertissante. Et puis, sans elle, Denis ne serait jamais sorti du sous-sol où il persiste à se prendre pour un poète.

Depuis des années, elle le porte pratiquement à bout de bras. Bien qu'il ait publié quelques poèmes dans des revues, de façon éparse, nul n'a encore vu l'ombre de son œuvre sans cesse méditée.

Sans Claire, Denis n'existerait sans doute même plus. Certes, son maternage s'exprimait d'une manière souvent étrange et excessive mais il était, au bout du compte, efficace. Je me demande comment Denis va s'en sortir maintenant. Il aura besoin de nous. Enfin, de nous… moins un.

Du coup, l'angoisse m'étreint de plus belle. D'une façon irrationnelle qui n'est pas sans me gêner, je me sens coupable de ce qui est arrivé chez moi, un peu à mon instigation puisque c'est moi qui ai proposé le jeu. C'est ridicule, je sais. N'empêche que je suis obsédée par cette idée : cette nuit même, je dois découvrir qui a tué Claire.

Notre enquête, cependant, n'a rien donné jusqu'ici. Alain vient de me passer le relais sans que je le lui aie demandé, et me voilà debout au milieu de la pièce, objet de l'attention générale. Exposée aussi à leurs soupçons, certainement.

J'irais volontiers m'asseoir dans le fauteuil devenu libre. L'ennui, c'est que j'aurais alors l'impression d'endosser le rôle qu'Alain vient d'abandonner sous la pression générale.

Ce fauteuil m'apparaît soudain comme une sorte de symbole de l'autorité, de la loi, du savoir. C'est sûrement ce qu'il est pour Alain, d'ailleurs, et il s'en est plus ou moins rendu compte lorsqu'il l'a quitté.

Or, je ne veux jouer aucun rôle dominant, surtout pas celui du détective. Du coup, je ne sais pas quelle attitude adopter. À mes pieds se trouve le corps de Claire, auquel nous n'avons pas le droit de toucher. Accusation permanente... Si seulement elle pouvait parler !

Je perçois la nervosité des autres. Je sens qu'ils attendent de moi un mot, un geste, que sais-je. Sauf Denis qui, manifestement, est déjà hors de ce monde.

J'éprouve en le regardant un profond sentiment de pitié. Prostré sur sa chaise, le visage enfoui dans ses bras, il est l'image même du renoncement. Du renoncement à la vie…

Claire était la force qui le maintenait en vie et, malgré leurs querelles incessantes et la mauvaise humeur dont elle l'accablait souvent, il ne faisait jamais un pas sans elle.

Denis n'est pas un intellectuel, ainsi que certains le prétendent. Poète tant qu'on voudra, mais pas intellectuel. Pas davantage un intuitif. Il ne voit rien de ce qui se passe autour de lui et il se croit seul sur terre.

En fait, c'est un sentimental contrarié. Il a en horreur tout ce qui peut le pousser hors de lui-même ou le forcer à mettre un pied dans la réalité. Il n'est pas à sa place sur cette planète et, s'il est parvenu à s'y maintenir jusqu'ici, je pense que c'est à cause de l'espèce de tyrannie que Claire exerçait sur lui et à laquelle il ne pouvait pas — ou ne voulait pas — se soustraire.

Claire lui servait de connexion avec le monde, et c'est sûrement la raison pour laquelle il est toujours resté avec elle, en dépit des vexations perpétuelles qu'elle lui faisait subir et auxquelles il ne réagissait apparemment pas.

S'il a dérogé à ce principe, au début du jeu, c'est probablement à cause de la tension qui régnait depuis la fin de l'après-midi.

Après le tirage au sort, lorsqu'il a eu déplié le papier qu'il avait sorti du chapeau, au lieu d'annoncer son rôle à haute voix, il s'est tourné vers Claire avec un regard affolé.

— Allons bon ! s'est-elle exclamée en ricanant. Ne me dis pas que c'est toi qui as tiré la carte de l'assassin !

— Non, pas de l'assassin, a bafouillé Denis. Je... je suis le détective.

Claire a éclaté d'un rire bruyant. Elle en a oublié un instant sa peur du noir qui s'en venait. Denis, pour sa part, semblait décontenancé. Il a enfoncé ses mains dans ses poches et il s'est mis à tripoter nerveusement ses clés.

Claire s'est précipitée sur lui et lui a attrapé la tête dans les mains, comme on fait à un enfant de cinq ans, puis elle a commencé à l'ébouriffer, tout en continuant de rire aux éclats. Je voyais Denis crisper ses mâchoires dans une grimace pitoyable, sans toutefois broncher.

Je pensais que, une fois encore, il allait encaisser et se laisser ridiculiser par sa femme. Pourtant, de façon complètement inattendue, il a sorti ses mains de ses poches, il a attrapé Claire au collet et l'a repoussée avec force.

Claire a poussé un cri strident en reculant vivement, portant sa main gauche à son oreille.

— Es-tu devenu fou ? s'est-elle écriée d'une voix rageuse. Tu m'as fait mal !

— Je… je n'ai pas fait exprès, a bégayé Denis.

En saisissant sa femme un peu vigoureusement, Denis avait dû accrocher sa boucle d'oreille, qui lui avait légèrement égratigné la peau, où perlait à présent une minuscule goutte de sang.

Refroidie, Claire avait haussé les épaules, lui avait tourné le dos et était allée se planter au milieu de la pièce en se frottant sous l'oreille. Personne n'était intervenu. J'en avais profité pour emmener Denis à l'extérieur et le jeu avait commencé.

Je voudrais sincèrement aider notre pauvre ami mais, pour l'instant, j'en suis à maudire Alain de m'avoir ainsi propulsée sur le devant de la scène sans le moindre plan. La tête basse, je contemple en ruminant les rainures du plancher lorsque mes yeux tombent sur un papier chiffonné, près du pied droit de Claire. Oui, je vois ce que c'est…

Contournant le corps, je m'approche et me penche pour le ramasser. Je le déplie. C'est bien ça. La marque noire. Le papier tiré au sort au début du jeu et qui désignait l'assassin.

Ai-je eu tort de m'en saisir ? Mes empreintes digitales se retrouveront dessus. Bah, elles y étaient déjà puisque c'est moi qui ai découpé les papiers et dessiné la marque, ainsi que la croix qui revenait au détective, avant de les mélanger dans le vieux chapeau qui a servi pour le tirage au sort. Mais elles ne sont pas les seules.

L'assassin, le vrai, a tenu lui aussi ce papier entre ses doigts. Est-ce là la solution ?

Le papier déplié entre le pouce et l'index, la marque parfaitement visible, je tends le bras en l'air pour que mes amis puissent voir. Je n'ai pas le temps d'ouvrir la bouche que Corinne s'est déjà détendue comme un ressort :

— C'était donc toi ?

J'en reste bouche bée. Si quelqu'un a besoin d'un médecin, c'est elle. Un calmant lui ferait le plus grand bien. Heureusement, Robert vient immédiatement à ma rescousse.

— Voudrais-tu conserver ton calme, Corinne ! Tu ne sais pas ce que Rachel allait dire.

— Ce n'est pas difficile à deviner, laisse tomber Gary d'un ton sec. Elle allait demander qui a tiré ce papier dans le chapeau. S'imagine-t-elle que quelqu'un va répondre et se jeter dans un piège aussi grossier ?

Je suis étonnée par cette sortie de Gary. Son visage est fermé et dur, ses poings crispés. Jamais je ne l'ai vu aussi mal à l'aise. Non seulement il a perdu son sourire habituel, mais il a l'air d'un homme traqué. J'essaie en vain de croiser son regard. Ses yeux se promènent infatigablement de l'un à l'autre sans se poser nulle part. A-t-il quelque chose à cacher ?

— Ce serait utile de savoir à qui est échu le rôle de l'assassin, déclare Alain.

— Oui, réplique Gary avec véhémence. Ça ferait un coupable idéal ! Ça arrangerait tes affaires !

Il faut que je calme le jeu avant que ces deux-là en viennent aux mains. Je comprends maintenant pourquoi Gary agit ainsi. De toute évidence, c'est lui qui a tiré la marque noire dans le chapeau et il a peur de l'avouer pour ne pas attirer les soupçons.

Ce n'était pourtant pas mon intention. Qu'il ait été le tueur désigné par le sort n'est pas significatif. Le meurtre était prémédité et bien préparé, ça me semble hors de doute. Cela exclut donc que son exécution ait été subordonnée à un tirage au sort. L'assassin, le vrai, savait avant de commencer le jeu qui il allait tuer, et comment. Il n'a pas pu faire dépendre son acte d'un papier ramassé à l'aveuglette dans un chapeau.

Cependant, Alain a raison. Le tueur du jeu, lorsque l'obscurité s'est produite, a dû chercher une victime dans le noir. Quand il s'est approché de Claire, il a dû sentir que quelqu'un d'autre tournait autour d'elle. Peut-être a-t-il reconnu cet autre, qui sait ? Voilà pourquoi son témoignage est capital.

Là encore, malheureusement, rien n'est certain. Après tout, le véritable assassin a pu agir très rapidement, avant que le faux choisisse sa propre victime. C'était d'ailleurs son intérêt. Il n'avait pas de temps à perdre, lui. Et, pendant que Gary errait au hasard, il se dirigeait peut-être directement vers Claire, dont il avait repéré la position au moment de la sortie de Denis.

J'essaie en vain de me rappeler qui se tenait près d'elle à cet instant. Mais, si jamais elle s'est déplacée — ce que nous étions censés faire dès l'extinction de la lumière —, la retrouver dans le noir n'a pas dû être facile.

Pour ma part, je n'ai pas bougé beaucoup puisque je n'y voyais absolument rien. C'est normal, ma vue est mauvaise. Le meurtrier, lui, avait-il des yeux de chat ?

Quoi qu'il en soit, si les choses se sont passées ainsi, Claire a été tuée avant même que Gary ait eu le temps de fixer son choix sur sa propre victime. Que s'est-il passé, alors ? Pourquoi Gary n'a-t-il pas arrêté le jeu en signalant l'erreur ? A-t-il cru à une simple farce ?

Il y a quelque chose qui ne va pas. Tout devient confus dans ma tête. Nulle hypothèse ne me paraît satisfaisante. Chacun des invités se déplaçait dans le noir, personne ne pouvait savoir avec certitude qui était son voisin. Aucun de mes scénarios ne fonctionne.

Si Gary acceptait au moins de parler au lieu de s'enfoncer dans cet absurde système de défense ! Nous y verrions plus clair.

À moins que, ironie du sort, l'assassin véritable et le faux ne soient qu'une seule personne…

Alain

Tous les regards sont tournés vers Gary, qui est de plus en plus mal à l'aise. Denis a relevé la tête et il le fixe lui aussi de ses yeux désespérés.

Francine est également agitée. Je la comprends. La proximité de son voisin ne doit pas la mettre à l'aise… Malheureusement, il n'y a pas de preuve tangible contre Gary, seul son étrange comportement a attiré l'attention sur lui. En l'absence du moindre indice, le plus léger soupçon peut prendre des proportions démesurées.

S'il a quelque chose sur la conscience, il faudra pourtant bien que Gary s'explique. Il me semble évident que c'était lui l'assassin du jeu. C'est lui qui, dans le noir, s'est approché de Claire et lui a serré le cou.

Mais pour quelle raison ? Pourquoi a-t-il agi ainsi ? Gary n'avait aucune raison d'en vouloir à Claire. À moins que…

Non, j'exagère. Certes, Claire a essayé de lui casser

sa baraque en lui faisant du charme alors que Gary, manifestement, avait une intrigue en route avec Francine. Je ne prétends pas qu'il a voulu la tuer, je n'irais pas jusque-là. Peut-être a-t-il simplement tenté de l'effrayer ou de lui donner une leçon.

Je ne vois pas d'autre explication. Ce meurtre ne peut pas avoir été prémédité. Tout s'est passé pendant les quelques minutes d'obscurité qui ont suivi la sortie de Denis. Qui aurait pu planifier quoi que ce soit dans de telles conditions ? L'assassin n'était pas certain d'atteindre sa victime à coup sûr dans un laps de temps aussi court.

Il ne pouvait pas non plus savoir à qui échoirait la marque noire. Or, si le jeu a continué jusqu'au bout sans que personne se rende compte de quoi que ce soit, c'est parce que le seul assassin en mouvement était celui du jeu. Dans le cas contraire, il y aurait eu deux victimes différentes, ou encore l'unique victime — Claire — se serait retrouvée avec deux assassins sur le dos. Le vrai et celui du jeu. Invraisemblable.

Gary était donc le seul. Le seul étrangleur possible, j'entends. C'est terrible, de détenir une vérité aussi effrayante. Comment porter une accusation d'une telle gravité? D'autant plus que Gary ne me paraît pas correspondre à ce rôle.

Pour être honnête, je dois avouer qu'il ne m'a jamais paru très intéressant. Ni en bien ni en mal. J'ai toujours pensé qu'il vivait dans un monde futile, incapable de créer comme de détruire. Quelqu'un qui se laisse vivre sans réfléchir, guidé par son seul plaisir. Quelqu'un d'influençable, ainsi que le sont les hommes à femmes... Tiens, tiens ! Serait-ce une autre piste possible ?

Depuis un moment, je recherche un assassin de sang-froid, conscient et responsable de ses actes, capable de penser et d'agir rapidement en fonction d'un but précis. Pourquoi me restreindre à ce schéma ? Et si le tueur n'avait été qu'un exécutant ? Un instrument docile entre les mains de l'instigateur du meurtre, du véritable criminel ?

Le crime apparaîtrait sous un jour nouveau. Plus complexe, mais aussi plus facile à aborder. Du bras qui a frappé, remonter à la tête qui a ordonné. Voyons. Qui aurait pu transformer Gary en son homme de main, le pousser à exécuter ses basses œuvres ? Une femme, bien sûr !

J'élimine d'office Rachel, qui me semble au-dessus de ce genre de soupçons. Reste Francine, qui fait manger Gary dans sa main depuis hier. Ou Corinne, qui les épie avec une jalousie à peine dissimulée et qui a probablement des vues sur lui. Allez connaître les tenants et les aboutissants dans ce genre de relation triangulaire... Quadrangulaire, même, puisque, jusqu'à ce que le jeu commence, Claire également était impliquée!

Ça ne m'étonnerait pas qu'il ait existé entre ces

trois femmes des rivalités plus profondes et plus dévastatrices que de simples jeux de séduction. Corinne a toujours navigué aux frontières du délire paranoïaque et Claire n'avait pas sa pareille pour provoquer des situations particulièrement tordues.

Quant à Francine, je dois reconnaître que je ne la connais pas très intimement. Réservée, distante, elle se laisse mal cerner. Une amie d'enfance de Claire, aussi étonnant que cela puisse paraître. Deux personnalités on ne peut plus antagonistes. Justement, qui sait ce que dissimulait leur entente apparente ?

Quoi qu'il en soit, face à cette nouvelle donne, je dois avouer mon impuissance. Ces histoires de jalousie, de vengeances, de je t'aime/je te hais, je n'y ai jamais compris grand-chose. J'ai eu beau m'intéresser — vaguement, c'est vrai — à la psychologie, je n'en ai retenu que le côté fumeux, flou, à la limite de la supercherie.

Ce qu'il faudrait, c'est provoquer les aveux de Gary. Je ne vois pas comment m'y prendre, ni de qui je puis attendre de l'aide. Robert a l'air affligé. Voûté sur sa chaise, il tord ses grosses mains comme s'il voulait les essorer afin d'en faire sortir la vérité. Seule Rachel est susceptible de m'être utile, bien que je l'aie un peu déçue tout à l'heure.

Je me lève pour la rejoindre au centre de la pièce.

— Écoutez, dis-je, ça ne sert à rien de nous renfermer chacun en soi-même et de nous défendre contre des accusations qui n'ont pas été portées. Nous n'aboutirons nulle part de cette façon.

— Pas d'accusations ! grommelle Gary. Ça y ressemblait, pourtant.

— Pas du tout. Rachel n'a rien dit de tel, tu ne l'as pas laissée s'exprimer. C'est toi qui te places dans une drôle de position. Pourquoi te défends-tu alors que personne ne t'attaque ? Tu te sens coupable ?

— Je ne me défends pas, réplique Gary avec rage. Et je ne vois pas de quoi je me sentirais coupable. J'essaie simplement de ne pas vous laisser nous tendre des pièges grossiers. Ni toi ni Rachel n'avez de droits sur les autres. Nous sommes tous ici plongés dans le même drame, et je trouve déplorable que vous vous délectiez à ce petit jeu du détective amateur. Qu'est-ce que vous mijotez ? Vous allez nous proposer de jouer une reconstitution de la soirée ?

Juste ! Oui, ça fait un moment que j'y pense, sans savoir comment présenter la chose. Là, Gary me tend une perche que je ne vais pas laisser passer. Une reconstitution en pleine lumière des mouvements que nous avons effectués dans le noir, oui, voilà ce qu'il nous faut. De cette manière, peut-être pourrons-nous comprendre mieux comment les choses se sont déroulées.

Gary aura encore le choix de mentir, évidemment. Cependant, je pense que sa trajectoire, dans ce cas, sera plus hésitante, et que l'attention qu'il devra prêter aux autres pour s'intégrer dans le mouvement général le dénoncera malgré lui. Enfin, j'espère...

Il faudrait, pour que ce stratagème soit efficace, qu'il soit mis en place dans les meilleurs délais, sans laisser le temps à l'assassin de prendre ses dispositions. C'est donc le moment ou jamais.

Je fixe Gary dans les yeux.

— Tu as parfaitement raison, dis-je d'une voix que je m'efforce de garder calme et posée. Ce serait la solution idéale. Chacun, ici présent, va reprendre la position qu'il avait au début du jeu, quand Denis a quitté la pièce, et reproduire son trajet. La différence, cette fois, c'est que la lumière restera allumée.

Je m'attendais à ce que Gary s'oppose violemment ou que Corinne saute au plafond, mais l'attaque vient d'un autre côté. C'est Denis qui, se redressant soudain sur sa chaise, prononce d'une voix glaciale et tremblée à la fois :

— Tu es ignoble, Alain. Ignoble et sans cœur. Tu es prêt à donner un spectacle, une mascarade devant un cadavre. Tu n'as donc aucun respect pour Claire ? Ni pour moi ?

Le silence qui suit est glacial. Même Corinne n'ose rien ajouter, elle se contente de me fusiller du regard. Robert est sorti de sa torpeur et il se balance à la façon d'un ours sur sa chaise, ne sachant manifestement pas s'il doit se lever pour rejoindre Denis ou disparaître sous terre.

Rachel semble perplexe. Gary aussi a l'air perdu. Après tout, c'est lui qui a parlé de reconstitution en premier. Francine est rouge comme une pivoine. Le bouton du haut de son corsage va lui rester dans la main.

Denis, cependant, n'ajoute pas un mot. On dirait presque qu'il regrette d'avoir parlé. C'est trop tard. Il est évident que je comprends son point de vue. J'aurais peut-être dû prendre des gants avant de lancer mon idée. Mais ce n'est plus possible. Je n'ai plus qu'à présenter mes excuses.

— Écoute, Denis, dis-je en m'avançant vers lui. J'ai été maladroit, je le reconnais. Il ne faut pas m'en vouloir, je n'avais pour but que de faire avancer la situation…

— Faire avancer la situation ? Penses-tu me rendre ma femme avec tes singeries ? À quoi rime ce jeu sinistre depuis le début ? Combien de fois allez-vous me rejouer cette scène ? Tu ne te rends pas compte de la bassesse dans laquelle tu es tombé? Tu ne te rends pas compte de ce que tu es en train de m'imposer ?

Que répondre ? Je suis au comble de la confusion. Rachel s'approche et me pousse doucement vers le fauteuil, puis elle se dirige vers Denis.

— Tu as raison, lui murmure-t-elle d'une voix douce. Nous nous sommes comportés de façon imbécile.

Nous voulions simplement t'aider. Nous nous y sommes mal pris, nous le reconnaissons. N'y vois aucune méchanceté de notre part. D'ailleurs, il serait idiot de rester ici jusqu'au bout de la nuit à nous épier mutuellement. Tu as besoin de calme et ce n'est pas ici que tu le trouveras. Viens avec moi, tu vas te reposer dans ma chambre, à l'étage.

Là-dessus, elle lui prend la main et tente de l'attirer vers elle. Denis ne réagit pas. Il a l'air coulé dans le plomb. Robert se lève à son tour, s'avance et se penche vers lui.

— Allons, Denis, Rachel a raison. Nous avons agi stupidement. Tout s'est passé trop vite, nous avons été dépassés.

— Dépassés, oui, c'est le mot, reprend Rachel. Dorénavant, nous attendrons sagement l'arrivée de la police. Viens.

Cette fois, Denis se laisse convaincre. À la manière d'un automate, il se lève et suit docilement Rachel, qui ne lui a pas lâché la main. Robert ébauche un mouvement pour les suivre, mais Rachel lui envoie un signe discret et il se rassoit en soupirant, reprenant sa pose d'homme abattu.

Rachel et Denis disparaissent. Leurs pas résonnent dans l'escalier, puis dans la chambre de l'étage, juste au-dessus de nous.

La tête basse, je vais prendre la chaise laissée

vacante par Denis. En face de moi, Corinne a l'air d'être assise sur une fourmilière. Ou un poêle chauffé au rouge. Elle me fixe comme si ses yeux pouvaient me tuer. La moindre étincelle et elle nous pète à la figure...

Le silence est lugubre à souhait. On croirait entendre la neige tomber de l'autre côté des volets clos. Là-haut, plus un bruit. Il y a eu un vague grincement au début — celui du lit ? — et puis plus rien. Je n'ai jamais entendu un silence aussi insupportable.

Gary, pour sa part, s'est calmé. L'attitude de Francine a changé. Plus sûre d'elle. Penchée vers lui, elle lui murmure quelque chose à l'oreille. Gary écoute attentivement. Qu'est-ce qu'elle peut lui raconter ?

Quoi qu'il en soit, je suis certain que mon intuition était juste. Et que le cerveau à l'origine de son geste, c'est Francine. Mais comment les piéger ? Comment les démasquer ?

— Est-ce que quelqu'un veut boire un verre ? propose Gary en se levant tout à coup.

Je le regarde à la dérobée. Il affiche un vague sourire contraint, espérant sans doute détendre l'atmosphère ou éluder les soupçons qui pèsent sur lui.

Personne ne lui répond. Gêné, il se rassoit presque aussitôt. Je ne sais pas combien de temps se passe ainsi. Je me sens terriblement fatigué.

De nouveau, des bruits de pas dans l'escalier. Légers. Et Rachel reparaît à la porte. Elle nous regarde les uns après les autres, puis déclare à mi-voix :

— Il était épuisé. Je lui ai donné des calmants. Je pense qu'il va dormir. Nous allons pouvoir reprendre.

En face de moi, Corinne se raidit. On lui aurait enfoncé une aiguille dans le gras des fesses que ça lui aurait causé le même effet.

Corinne

Non, ce n'est pas vrai ! Alain est un monstre. Rachel aussi. À peine ont-ils éjecté Denis de la scène qu'ils n'ont rien de plus pressé que de reprendre leur répugnante comédie !

Je n'aurais jamais imaginé de leur part ce comportement de charognards. Je me demande ce que cachent cette attitude, cette volonté acharnée de jouer les accusateurs et — pourquoi pas — les juges. Plus j'y songe, plus j'ai l'impression que cette tactique offensive ne vise qu'à nous égarer. Pour quelle raison ? Parce que, en aiguillant les soupçons sur les autres — sur Gary, par exemple —, ils les détournent d'eux-mêmes !

C'est horrible d'accuser ainsi sans preuve, je sais, mais est-ce qu'ils se privent, eux ? Tantôt c'est Alain qui attaque, tantôt c'est Rachel qui prend le relais quand Alain va trop loin. Deux beaux manipulateurs. Depuis le début de la soirée, leur petit duo fonctionne plutôt bien. Complices ?

L'erreur, au départ, était peut-être de chercher un coupable unique. C'est une réaction naturelle : une victime, un meurtrier. Or, le crime a pratiquement été commis sous nos yeux sans que nous n'y voyions rien. Un tel coup pouvait-il réussir sans une longue préparation et, surtout, sans complicité?

Je suis de plus en plus persuadée du contraire. Alain et Rachel sont les plus cérébraux de notre groupe, les seuls capables, selon moi, d'organiser aussi froidement une telle machination. Après tout, nous sommes ici chez Rachel, les lieux lui sont familiers. Elle connaissait aussi la météo — elle n'est pas du genre à laisser la réussite de ses soirées dépendre de la pluie ou du beau temps — et je suis certaine qu'elle était au courant qu'une tempête de neige était annoncée.

Quand la lumière s'est rallumée, ce sont eux qui — à part moi — se trouvaient le plus près du cadavre de Claire. J'ai très peu bougé moi-même et il me semble que Claire, pour sa part, est restée immobile. Alain avait donc toute latitude pour l'approcher sans attirer l'attention. Rachel l'a-t-elle aidé en lui laissant la voie libre, voire en le guidant ?

Je me demande si je suis la seule à penser ainsi. Je ne le crois pas. Nous en sommes au même point et, ce que j'ai pu déduire, les autres ont pu le découvrir également.

Sauf Robert, peut-être, qui ne sait voir le mal nulle part. Pour l'instant, il se contente de regarder Rachel comme si elle venait de surgir d'un chapeau avec un collant rose et des oreilles de lapin. Mais je sens que, du côté de Gary et de Francine, on partage mon avis.

Gary paraît aussi outré que moi à l'idée du psychodrame que Rachel s'obstine à vouloir nous faire jouer et Francine a l'air d'être au bord des larmes. Je la croyais plus solide. Je la connais un peu moins que les autres, c'est vrai. Elle n'habite plus Québec et nous la voyons rarement. Pourtant, d'habitude, elle a un caractère plus trempé que le mien. Il est vrai qu'elle était amie avec Claire depuis beaucoup plus longtemps que nous.

Quoi qu'il en soit, elle n'a pas prononcé un mot depuis la découverte du meurtre. Je suis donc d'autant plus étonnée lorsqu'elle déclare d'une voix sourde :

— Est-ce qu'on ne pourrait pas recouvrir ce cadavre au lieu de s'en servir comme d'une scène de théâtre ?

Alain rougit. Le coup a porté. Rachel se mord les lèvres.

— Tu as raison, déclare-t-elle. Nous aurions dû commencer par là. Je vais monter chercher un drap.

Aussitôt, elle tourne les talons et s'éloigne vers la porte. Elle n'a pas fait deux pas qu'Alain se lève du fauteuil dans lequel il s'était rassis.

— Je t'accompagne.

Bien sûr... Ils vont pouvoir comploter en paix. Et Alain lui emboîte le pas. Rachel ne dit rien. Les deux disparaissent.

Malgré tout, je respire un peu mieux. L'atmosphère me paraît nettement moins lourde à présent qu'Alain et Rachel sont sortis. Cependant, leur absence ne va pas durer longtemps. Le bruit de leurs pas, là-haut, malgré sa discrétion, nous rappelle qu'ils ne sont pas loin. Je me tourne vers Gary et lui demande à voix basse :

— Qu'est-ce que tu en penses ?

Gary a l'air de tomber de la lune. Il me dévisage comme s'il venait de s'apercevoir de ma présence. Je remarque que Francine lui tient la main. Serré. Je me sens très vide, soudainement...

— Ce que je pense de quoi ? répond Gary. De leur attitude ? Que c'est ignoble. Simplement ignoble.

— Oui, mais...

Je n'ose pas poursuivre. Robert a relevé la tête et nous écoute. De quel côté est-il, lui ? Il est très lié avec Rachel et il l'a défendue, il y a quelques instants, quand Denis s'est fâché. Faire part de mes soupçons en sa présence ? Il est incapable de tenir sa langue. Je n'ai pas envie de les affronter, les deux autres, lorsqu'ils vont redescendre. Je ne suis pas de taille.

Du coup, je ne continue pas ma phrase. Et Gary, imité par Francine et Robert, me regarde d'un air bizarre. Est-ce qu'ils pensent que je déraille ? J'avale péniblement ma salive.

— Oui mais quoi ? insiste Robert, dont les yeux sont toujours fixés sur moi.

— Je... je ne sais pas. J'ai l'impression de n'être qu'un objet dans cette histoire. Un objet entre les mains de...

— Entre les mains d'Alain ou Rachel ? suggère Gary. Pourquoi t'en voudraient-ils particulièrement ? Tu crois qu'ils te soupçonnent parce que tu détestais Claire ?

Quel salaud ! Alors que je tente par tous les moyens de l'aider en le soutenant contre Alain et Rachel, Gary me renvoie cette prétendue haine que j'aurais éprouvée envers Claire. C'est faux ! Est-ce qu'il veut me faire porter le chapeau, lui aussi ?

Je ne comprends plus quel jeu Gary est en train de jouer. Au lieu de se rallier à moi, il agit comme s'il était acculé au pied du mur et qu'il en était réduit à accuser n'importe qui pourvu qu'on l'oublie. Et Francine qui se colle à lui comme une tique...

Qu'est-ce qu'elle lui susurrait, il y a quelques minutes, dans le creux de l'oreille ?

J'ai l'impression que Gary n'est pas net. L'impression aussi que Francine est en train de le manipuler. Ça n'est pas compliqué, d'ailleurs. Gary est faible. N'importe quelle femme peut le mener à sa guise. N'importe quelle femme... Pourquoi pas moi ?

Qu'est-ce qu'il lui trouve, à Francine ? Et pourquoi a-t-elle jeté son dévolu sur lui alors qu'il était évident qu'il avait ma sympathie depuis longtemps ? C'est louche. À aucun moment, pour autant que je me souvienne, Gary n'a manifesté d'intérêt pour elle. Quelle est la raison de ce revirement ?

Pourtant, dès son arrivée hier au chalet, Francine s'est pratiquement jetée sur lui. Francine n'est pas en manque, que je sache. Elle mène une vie très remplie à Montréal, elle s'en est vantée tout au long du repas.

En revanche, ça me revient maintenant, son amitié avec Claire semblait en avoir pris un coup. Elles ne se sont presque pas adressé la parole de la soirée. Et, quand elles ont enfin brisé la glace, cela a été cinglant.

Je ne sais pas ce que Claire lui avait chuchoté — c'était après le repas et elles se tenaient à l'écart, près de la cheminée —, mais Francine avait littéralement explosé :

— Si c'est tout ce que tu trouves à me dire, c'est toi qui peux aller au diable !

Elle avait ponctué cette sortie d'un claquement de doigts, comme si, par magie, ce geste avait réellement pu la réduire en cendres ou la faire disparaître sous le plancher.

Je crois que c'était la première fois que j'entendais Francine crier. Et les regards qu'elles avaient échangés n'avaient rien d'équivoque. Des regards venimeux, mortels...

Me serais-je donc trompée à propos d'Alain ? Est-ce uniquement ma méfiance envers lui qui m'a conduite à le soupçonner d'entrée de jeu ? Francine et Gary, sous leur allure faussement désinvolte, cachent-ils des personnalités diaboliques ? Pour quelle faute Claire a-t-elle payé? Ou pour quelle information qu'elle n'aurait pas dû détenir et dont j'ignore le moindre détail ? Je ne sais plus que penser.

Robert, de son côté, est retombé dans son mutisme. On dirait qu'il a abandonné la partie. Et, en fin de compte, je me retrouve seule. J'ai un mauvais pressentiment. L'idée que les autres, Rachel et Alain d'une part, Gary et Francine d'autre part, ont trouvé en moi le bouc émissaire idéal et que, faute de mieux, ils vont chercher à me faire endosser ce crime ignoble.

Je comprends que je ne peux plus compter sur qui que ce soit. Je vais devoir me défendre seule. Surtout contre Alain et Rachel, dont les raisonnements sont irréfutables et contre qui je ne suis pas de taille. Me voici dans de beaux draps.

J'entends leurs pas dans l'escalier. Ils vont reprendre la situation en main. À leur avantage. Et ils vont nous harceler jusqu'à ce que l'un de nous craque enfin…

Lorsqu'ils réapparaissent à la porte, je leur jette un coup d'œil par en dessous. Rachel porte un drap bleu. Ce qu'elle a déniché de plus sombre, j'imagine. Je baisse la tête.

Elle tend une extrémité du drap à Alain, qui la saisit et passe de l'autre côté du cadavre. Avec des gestes lents, sans un mot, ils étendent le drap au-dessus de Claire. Son visage est maintenant dissimulé, mais sa forme en relief, sous ce linceul de fortune, nous accuse tout autant.

Gary

J'aurais mieux fait de la fermer. Je me suis énervé bêtement et, à présent, je peux lire dans leurs pensées aussi clairement que s'ils les portaient inscrites sur le front : c'est Gary qui a tiré la marque noire. Et, s'il ne veut pas le reconnaître, c'est parce qu'il en a profité dans le noir…

Et cette oie de Corinne qui en rajoute et qui, en pensant peut-être voler à mon secours, m'enfonce davantage avec ses crises. Est-ce qu'elle ne pourrait pas me lâcher un peu ?

Depuis le début de la soirée, elle n'arrête pas de me coller, de m'adresser ses sourires niaiseux et de m'envoyer des allusions à couper au couteau. J'aimerais qu'elle se calme, qu'elle m'oublie. Sa jalousie perpétuelle et mal dirigée la conduit à n'importe quoi.

C'est malheureux à dire mais, si quelqu'un ici avait une raison d'en vouloir à Claire au point de la tuer, c'est elle. Claire et ses belles fesses, Claire et son verbe haut,

Claire et son rire éclatant... Claire dont les succès étaient pris par Corinne comme autant de gifles en pleine figure. La rivale qu'on rêve de voir écrasée par une voiture...

Si au moins Corinne se rendait compte que ses petits seins et ses fesses en lame de couteau ne sont pas responsables de sa solitude. Son physique, qui n'est pas désagréable, contrairement à ce qu'elle s'imagine, n'y est pour rien. Ce qui éloigne les hommes d'elle, c'est cette manie qu'elle a de récriminer à tout bout de champ et de monter en épingle les moindres défauts des autres. Elle est insupportable, voilà la vérité.

Elle en veut au monde entier pour des futilités. Elle détestait Claire à cause de son physique de pin-up. Elle déteste Robert pour sa candeur et son humour épais, Alain pour sa suffisance, Rachel pour son intelligence, Francine parce qu'elle a pris ses distances avec le groupe, moi parce que Francine est assise à mes côtés et me parle... Je crois qu'elle n'aime bien que Denis. Qui ne s'en rend pas compte.

Bref, personne ne trouve grâce à ses yeux. Elle ferait mieux de la boucler et de ne plus attirer l'attention sur moi. J'ai assez gaffé moi-même. Le résultat, c'est que me voilà promu suspect numéro un.

Bien sûr, je sais qui l'a tirée, la fameuse marque noire. Je le sais, qui était l'assassin désigné par le jeu. Pourtant, je me tairai. J'ai une belle gueule, peut-être, mais je ne suis pas un délateur. Et puis, ce n'est pas parce que quelqu'un a tiré au sort un bout de papier dans un jeu de rôles que cette personne est nécessairement devenue une meurtrière. Je n'aiderai personne en dévoilant son nom.

J'ai une assez bonne mémoire visuelle. Je me souviens parfaitement de la position de chacun de nous dans la pièce au moment où la lumière s'est éteinte.

Chacun, prenant son rôle très au sérieux, avait un visage fermé et je n'avais aucune idée de qui était le porteur de la marque noire. Je m'en fichais, d'ailleurs. Le seul a avoir manifesté son émotion après avoir tiré les papiers dans le chapeau a été Denis. Denis qui déteste ce genre de jeu et qui, d'un seul coup, se trouvait à en occuper la position la plus en vue.

Pour ma part, ce jeu n'était qu'un enfantillage. Je pensais simplement en profiter pour aller un peu plus avant dans un autre jeu que j'avais entamé depuis la veille avec Francine. Francine qui apportait un brin de fraîcheur dans ce groupe qui commençait à se scléroser...

Nous étions maintenant au courant de nos rôles respectifs. Il ne restait plus qu'à évacuer le détective. Pas facile. Il y a eu ce cafouillage entre Denis et Claire, et Denis est resté planté là, pétrifié, tandis que Claire partait bouder à l'écart.

Rachel a dû pousser Denis vers la porte. Il était censé ne revenir que dix secondes après avoir entendu le cri de la victime. Il n'avait pas l'air emballé, c'est le moins qu'on puisse dire. Elle a quasiment dû le mettre dehors avant d'éteindre la lumière.

À ce moment-là, Claire se tenait au centre de la pièce. Mal à l'aise. En dépit de ses allures fanfaronnes et de l'air de dompteuse qu'elle aimait se donner, Claire avait peur du noir. Une peur bleue. Il me semble que Rachel le savait, d'ailleurs. Ainsi que nous tous. C'était un sujet de plaisanterie perpétuel entre nous. Je me suis même demandé, un instant, si Claire n'allait pas se mettre à hurler avant la fin du jeu.

Rachel était debout près de la porte, qu'elle venait de refermer. Devant elle, vers sa gauche, Alain. Et, plus loin vers sa droite, Robert. Ces trois-là se trouvaient dans la moitié de la pièce comprise entre la porte d'entrée et Claire.

Quant à moi, j'étais resté près de l'espèce de commode sur laquelle Rachel avait posé le chapeau contenant les papiers pour le tirage au sort, dans l'angle du salon diamétralement opposé à celui où se tenait Alain.

Les deux autres filles, Corinne et Francine, s'étaient éloignées de l'autre côté et rien ne me séparait d'elles.

Je me doutais que Claire ne ferait pas un geste, paralysée qu'elle serait par sa peur. En revanche, j'ignorais les mouvements potentiels des autres. Je me disais cependant que, le noir étant total, personne n'effectuerait de trajet compliqué. À l'exception du porteur de la marque noire. Et de l'assassin — mais ça, je ne le savais pas encore...

Mon idée était que chacun se déplacerait en fonction de l'espace laissé libre, et que Francine ne pourrait marcher sans rencontrer d'obstacle qu'en se dirigeant vers moi. Nous devions, en bonne logique, nous rentrer dedans «comme par hasard».

Un bref sourire complice, juste avant l'extinction de la lampe, m'avait confirmé que Francine trouvait le jeu à son goût, elle aussi. Sitôt la lumière éteinte, je m'étais, moi aussi, avancé vers elle, en comptant approximativement le nombre de pas qui me séparaient d'elle.

Pourtant, je n'avais rencontré personne. Francine s'était donc dirigée dans une autre direction. La nuit était totale, tant au dehors que dedans, et je n'arrivais pas à savoir où elle était passée.

J'étais un peu déçu. Énervé, aussi. Pourquoi n'était-elle pas venue à ma rencontre ? C'est alors que le gémissement rauque de Claire — reconnaissable entre mille — avait rompu le silence. C'était trop tard. Plus personne ne devait bouger. Jeu stupide !

Deux secondes ne s'étaient pas écoulées qu'un corps heurtait le mien. Ce parfum de vanille... Francine ! Instinctivement, je l'avais enlacée. Elle avait étouffé un léger rire qui, heureusement, s'était perdu dans ma poitrine.

En tout cas, je comprenais pour quelle raison je ne l'avais pas trouvée là où je m'y attendais. C'est elle qui avait tiré la marque noire et elle avait dû partir en quête d'une victime…

Claire était la proie idéale. Elle se tenait non loin de Francine et resterait immobile. L'entreprise n'offrait aucune difficulté. De plus, leurs relations étant assez tendues — ça, j'en ignore la cause, Francine ne m'ayant rien confié sur le sujet —, l'idée de jouer à l'assassiner avait dû lui plaire. Je parle bien d'idée. Je ne vais pas au-delà. À ce moment-là, ce n'était encore qu'un jeu.

Le temps nous était compté, il ne nous restait que quelques secondes avant de nous séparer. Denis ne tarderait pas à entrer et à allumer.

L'arrivée du détective s'était fait attendre, il me semble. Finalement, la porte s'était ouverte et la lumière avait été rétablie. Francine avait eu le temps de s'écarter de moi. J'avais remarqué que le bouton du haut de sa blouse s'était détaché. Curieux. Je n'avais pourtant fait qu'effleurer son dos et ses hanches…

Denis avait alors commencé sa malhabile enquête. Évidemment, si je révélais ce que je savais, le jeu ne durerait pas deux minutes et la soirée serait ratée. Déjà que c'était mal parti ! J'avais donc choisi, sinon de mentir grossièrement, du moins de ne répondre que de manière évasive.

Cependant, quand Alain avait annoncé la mort de

Claire, les choses avaient pris une autre tournure. Il n'était plus question de jouer. Que s'était-il passé? Francine avait-elle réellement étranglé Claire ?

Je n'y croyais pas une seconde. Je sais que les femmes sont capables de se détester, mais ces haines restent verbales. Crises de nerfs, hurlements, crêpage de chignon, coups de griffes...

Et puis, l'arme des femmes par excellence demeure le poison. Pas la strangulation. Autre chose : une femme empoisonne son mari, son amant à la rigueur. Pas sa rivale. Et, d'ailleurs, était-il question de rivalité entre Claire et Francine ? Absolument pas. Pas en ce qui me concerne, en tout cas, et Francine le savait parfaitement.

D'autre part, le crime avait sans aucun doute été prévu et minutieusement préparé. Une telle précision dans son exécution excluait l'improvisation. Je ne pensais pas — et je ne le pense pas davantage maintenant — que Francine y soit impliquée.

Comment le meurtrier a-t-il procédé, je ne le comprends pas, et ce n'est pas à moi d'éclaircir ce mystère. Une chose est certaine. Étant donné la manière dont Alain et Rachel semblent résolus à mener une enquête qui se situe au-delà de leurs droits et de leurs capacités, je me refuse à entrer dans leur jeu. De ce point de vue, je dois donner raison à Corinne. Le fait qu'Alain cherche à nous mettre sous son contrôle de cette façon me paraît louche. Je ne l'aiderai donc pas.

L'ennui, c'est que, à présent, pour avoir voulu protéger Francine, me voilà devenu leur principal suspect.

Si au moins j'avais la chance de me retrouver seul à seul avec Francine, elle pourrait peut-être m'expliquer ce qui s'est passé. Apparemment, tandis que je me dirigeais vers elle, elle s'approchait de Claire, qu'elle avait choisie comme victime. D'après la règle du jeu, elle devait opérer soit en faisant semblant de la tuer, soit, plus simplement, en le lui murmurant à l'oreille.

Dès lors il importe de savoir une chose : le véritable assassin a-t-il commis son coup pendant les dix secondes qui se sont écoulées entre le cri de Claire et l'entrée de Denis dans la pièce en tant que détective, ou bien Claire était-elle déjà morte lorsque Francine s'est approchée d'elle ?

C'est ce que je lui ai demandé il y a un instant, tandis qu'Alain était en butte à la colère de Denis et que les regards étaient tournés vers eux. Elle n'a pas répondu tout de suite. Elle était très nerveuse. Elle sait que je me suis rendu compte qu'elle portait la marque noire, et qu'elle l'a laissée tomber avant de rejoindre sa place.

Elle se méfiait. Puis elle a compris que j'étais de son côté. Elle me l'a confirmé à voix basse, profitant de ce que Rachel accompagnait Denis à l'étage et de ce que les autres, abîmés dans leurs pensées, fixaient tristement le bout de leurs pieds :

— Claire était debout et vivante lorsque je suis

arrivée près d'elle. Elle me tournait le dos. J'ai mis mes mains autour de son cou. Est-ce que j'ai serré un peu fort, je ne sais pas. Je ne pense pas. Je lui ai juste murmuré qu'elle était morte. Alors elle a lâché ce cri étrange et elle s'est effondrée sur le sol.

Je la crois. Pour autant, je ne suis pas plus avancé. Comment le meurtrier a-t-il opéré ensuite en aussi peu de temps ? Il n'a eu que dix secondes, montre en main, pour repérer Claire dans l'obscurité totale, la tuer et retourner à sa place. Est-ce qu'il voit la nuit ?

Francine

Je devrais peut-être me dénoncer. Tôt ou tard, il faudra que je le fasse. Quand la police sera là. Je n'y couperai pas.

Mais à ce moment-là, au moins, les interrogatoires seront menés confidentiellement — je veux le croire ! — et je n'aurai pas à affronter le regard des autres.

Depuis le début, je me sens mal à l'aise ici. Il y a longtemps que je n'avais pas vu la bande. Pourtant, quand Rachel m'a offert de me joindre au groupe pour la fin de semaine, je n'ai pas hésité. L'idée de quitter la grande ville quelques jours et de faire du ski de fond à Saint-Vallier me réjouissait.

Quand je suis arrivée, vendredi soir — hier donc —, les autres étaient déjà là. Curieusement, j'ai éprouvé la sensation diffuse que je venais à peine de les quitter. C'est plus tard dans la soirée que j'ai compris pourquoi.

Cela fait quelques années que je mène ma vie à Montréal. Une vie active et pleine de rencontres, de gens nouveaux. J'évolue à leur contact, je découvre de nouveaux centres d'intérêt. Oui, une vie enrichissante, en perpétuel mouvement. Bien sûr, j'ai souvent Rachel au téléphone, et la messagerie n'est pas faite pour les chiens, mais ce genre de contact reste toujours un peu artificiel.

Rachel est une personne complexe et attachante, et j'étais contente à l'idée de la revoir. Claire, pas autant. Claire et ses crises d'hystérie plus ou moins simulées... Elle me rend visite à Montréal de temps en temps, seule le plus souvent. Cependant, si sa personnalité exubérante me fascinait autrefois, j'ai de plus en plus de mal à la supporter. Surtout quand je suis avec quelqu'un...

Elle m'a déjà gâché une ou deux relations de cette manière. Et, dans mon travail, c'est extrêmement gênant. Néanmoins, je m'étais dit qu'à Saint-Vallier, elle aurait de quoi s'occuper avec les autres membres du groupe pour me laisser tranquille. Et puis, hors de mon milieu professionnel, ses frasques ne me causeraient aucun tort.

À part cela, comment allaient se passer ces retrouvailles ? Mes anciens amis auraient-ils changé, n'y aurait-il pas une certaine gêne entre nous ?

L'incertitude a été de courte durée. En débarquant

au chalet, je les ai revus identiques à eux-mêmes, tels que je les avais laissés la dernière fois à Québec. D'où cette sensation de les avoir quittés la veille.

Denis, que sa femme traîne constamment derrière elle avec sa figure de déterré, toujours perdu dans les mêmes nuages ; Robert, avec son cœur d'artichaut et ses farces plates ; Corinne, aussi seule et désespérée de l'être malgré ses efforts consternants pour rencontrer l'âme sœur ; Alain, l'encyclopédie vivante et boursouflée...

Et Gary.

Gary, qui semble autant à sa place ici qu'un jeune chien dans une veillée funèbre. Alain a toujours considéré qu'il était un imbécile parce qu'il est beau et qu'il plaît aux femmes. Ce qui est idiot. Il est en réalité attentionné et sensible. Il refuse ce rôle de don Juan qu'on lui prête, même si, évidemment, il profite parfois de cette image.

Il avait l'air ravi de me revoir, il faut l'avouer. Assiégé en permanence par Corinne, qui voudrait lui passer la corde au cou, et Claire dont je n'ai jamais vraiment saisi les intentions, je représentais sans doute pour lui un bol d'air frais qui lui permettrait de passer le week-end de façon plus agréable.

Et pourquoi pas? Il est séduisant, sympathique, sportif. Une compagnie plaisante. Et un beau corps. Je ne dis pas que les autres soient franchement désagréables, pris individuellement, mais cela fait tellement longtemps qu'ils se voient ainsi, presque chaque semaine, sans nouveaux participants, que leur groupe a acquis un caractère quasi incestueux, si je puis m'exprimer ainsi.

C'est certainement la raison pour laquelle Rachel m'a invitée, d'ailleurs. Et puis, n'exagérons rien. Si Rachel et Gary sont les seuls que je qualifierais d'amis, les autres ne sont pas invivables — du moins à l'occasion d'un week-end à la campagne. Robert peut effectivement être drôle, et Alain a tellement horreur du désordre qu'il a souvent déjà tout rangé avant que quelqu'un d'autre ait pensé à s'en occuper. Pratique…

Bref, je m'attendais donc à décompresser, à me rincer les poumons en skiant sur les bords du fleuve et à me détendre avec Gary. C'est ce matin seulement que j'ai compris l'ampleur du désastre. Tempête de neige. Et pas la moitié d'une ! Impossible de sortir. Le week-end entier coincés comme des harengs dans cette cabane minuscule où nous aurions à respirer le même air pendant deux jours et à nous supporter tant bien que mal. Quel piège !

J'ai eu l'impression de retourner dans le passé, de retrouver ces soirées faussement joviales et ces jeux idiots de nos fêtes d'étudiants. Oh ! les blagues de Robert, les mines évanescentes de Corinne, les sermons d'Alain… Quarante-huit heures de ce régime sans pouvoir sortir, j'allais devenir folle !

Si au moins je m'étais amusée un peu avec Gary.

Mais, dans la promiscuité ambiante, avec une paire d'yeux dans chaque mètre carré, il était délicat de se faire du bien sans attirer les regards. D'autant plus que Corinne et Claire veillaient au grain. Si elles avaient pu m'arracher les yeux, ces deux-là, je crois qu'elles en auraient eu l'occasion dix fois dans la journée.

À un moment, alors que j'avais fait mon possible pour l'éviter, Claire s'est approchée de moi, près de la cheminée, pour me glisser à l'oreille que je n'avais pas à jouer à la dame et que ce n'était pas parce que je menais la grande vie à Montréal que je devais me prendre pour la reine de la soirée et que si j'étais là pour lui ravir sa place je pouvais aussi bien aller au diable.

Je lui avais répondu du tac au tac. Je n'en revenais pas. Pourquoi cette agressivité soudaine ? À cause de Gary ? Ridicule…

Et la nuit, qui arrive pourtant trop tôt en cette saison, s'était longtemps fait désirer.

Vers huit heures du soir, après un repas léger, Rachel, histoire de sauver la journée, nous a proposé de jouer au jeu de l'assassin. Encore un rappel de nos soirées d'étudiants !

Les bouts de papier dans un chapeau, la croix pour le détective, la marque noire pour l'assassin. L'obscurité soudaine, avec les peurs enfantines qui remontent, le frisson de l'attente, la crainte de sentir tout à coup des mains se poser sur son cou… Un classique.

Robert s'est immédiatement montré emballé. Robert, c'est vrai, est emballé par tout ce que propose Rachel. Il est fasciné par elle comme un enfant et elle lui donnerait à manger dans sa main. Sa jovialité a réussi à nous convaincre. Enfin, plus ou moins, parce que Denis, lugubre depuis la veille — lugubre depuis que je le connais —, semblait exaspéré.

Claire non plus n'était pas à la fête. Elle a toujours eu horreur du noir et il m'a semblé qu'elle jetait à Rachel un regard lourd de reproches. Gary, en revanche, paraissait aux anges. Je lisais dans ses yeux émoustillés qu'il s'en fichait pas mal, de l'identité du tueur, du moment qu'il aurait l'occasion de se coller à moi dans le noir !

Bon, pourquoi pas, au point où nous en étions… Il fallait sauver ce qui pouvait l'être.

Nous avons repoussé les meubles contre les murs, puis nous avons gentiment fait la queue devant Rachel pour tirer nos rôles. Elle tenait le chapeau dans lequel elle nous invitait à plonger la main, l'un après l'autre, pour tirer un papier plié en quatre. Rachel a pris le dernier.

Lorsque les rôles ont été distribués, nous avons été autorisés à déplier les papiers. Instant de vérité…

Première surprise. L'assassin, c'était moi ! Flûte ! J'ai néanmoins tenté de ne rien laisser paraître. J'essayais surtout de ne pas sourire en pensant à Gary. Il risquait d'être déçu. Je l'imaginais déjà se précipitant vers moi dans le noir pour me «reconnaître» du bout des doigts et ne me trouvant pas. Ou, pire, enlaçant Corinne à qui il mettrait la main aux fesses !

Deuxième surprise, le détective n'était autre que Denis. Ça ne pouvait pas tomber plus mal. D'abord parce que Denis déteste tout ce qui est susceptible de le pousser à l'action, d'autre part parce qu'il est bien la dernière personne capable de résoudre une énigme, si simple soit-elle.

Enfin, tant pis, ce n'était pas mon problème. Tandis que nous nous disséminions dans la pièce et que Denis, à contrecœur, se faisait littéralement expulser par Rachel, je notais mentalement la place de chacun.

L'ennui, c'est que chacun se déplacerait dans le noir et que je perdrais du temps à chercher une victime. Peut-être, l'ayant découverte au hasard, ne serais-je pas capable d'en reconnaître l'identité une fois la main mise dessus.

Heureusement, la victime s'était désignée d'elle-même. Figée au centre de la pièce, Claire commençait déjà à trembler en anticipant l'obscurité dans laquelle elle serait plongée dans quelques secondes. J'étais certaine d'une chose : elle ne bougerait pas d'un poil !

Je suis allée me placer derrière elle, de façon à ne pas la rater dans le noir. Évidemment, Corinne n'a rien trouvé de mieux que de se poster près de moi. Avait-elle deviné les intentions de Gary ? Voulait-elle me surveiller ? Ou prendre sa part en se faisant passer pour moi ?

Bah, ce n'était peut-être qu'un hasard. Aussitôt la lumière éteinte, il m'avait semblé qu'elle se déplaçait dans une autre direction, comme pour contourner Claire. Difficile de préciser comment j'avais pu m'en rendre compte puisque je n'y voyais rien. En fait, j'avais plutôt «senti», tout à coup, qu'elle n'était plus là.

Je m'étais donc avancée sans bruit vers le centre du salon — vers Claire —, lentement, m'arrêtant à chaque pas, les bras légèrement écartés — c'est curieux et excitant à la fois, dans l'obscurité, cette sensation de ne plus avoir d'équilibre.

Soudain, j'avais perçu juste devant moi le souffle d'une respiration saccadée, difficile. Claire. Elle était tendue, vibrante presque. J'avais l'impression d'entendre battre son cœur.

Alors j'avais levé mes bras de chaque côté d'elle et, avec une lenteur calculée, avec une jouissance que je n'aurais jamais cru éprouver en me livrant à ce simulacre de strangulation, j'avais placé mes mains sur son cou.

Et, tandis que je lui serrais la gorge — trop fort, peut-être —, je lui avais glissé à l'oreille : «Tu es morte.»

À ce moment-là, je me souviens d'avoir été surprise de la trouver si molle, au contraire de ce que j'aurais pensé. Comment dire… absolument détendue, comme si ses nerfs, pour la première fois de sa vie, avaient été entièrement déconnectés. Et cette bave qui lui coulait sur le menton, c'était dégoûtant. La peur avait sur elle un effet étrange…

En tout cas, elle n'avait pas réagi. Pas le moindre mouvement, pas même un frémissement. Était-elle à ce point paralysée ?

En revanche, elle avait émis une sorte de gémissement rauque qui m'avait donné la chair de poule — et qui n'était pas entièrement dû à ses talents d'actrice, m'avait-il semblé —, et elle s'était effondrée lourdement, manquant de m'entraîner avec elle dans sa chute.

Il m'avait fallu deux ou trois secondes, pour autant que j'aie pu en juger moi-même, pour me remettre du choc. Cette sensation de volupté, tandis que mes doigts s'enroulaient autour de son cou, la résonance sourde de son râle et son affaissement sur le plancher qui n'avait pas l'air feint, tout cela m'avait laissé une impression bizarre, une sorte de malaise que je ressentais jusqu'au bout des ongles sous la forme d'un picotement désagréable.

Me ressaisissant, j'étais retournée à ma place, trop pressée sans doute, et j'avais heurté quelqu'un de plein fouet. Je n'avais pas eu le temps de réagir que deux bras m'enveloppaient et me serraient avec vigueur. Gary ! Il n'avait pas perdu le nord, lui !

Mon cœur battait si vite que j'en avais le souffle coupé. Pas à cause de la présence de Gary, non — il m'amuse, il ne me fait pas chavirer —, mais de la tension du jeu auquel je m'étais abandonnée plus que de raison, à mon propre étonnement.

Si Gary respectait les règles du jeu, le détective — même Denis ! — n'aurait pas grand mal à me démasquer. À la moindre question, Gary ne pouvait que me dénoncer. Je venais manifestement de la direction dans laquelle se trouvait le «cadavre», et mon émotion était perceptible.

D'un autre côté, si Gary acceptait d'entrer dans mon jeu et restait discret, cette rencontre me donnait l'occasion de faire passer mon agitation sur un autre plan.

M'écartant légèrement de lui — Denis était sur le point d'entrer —, j'avais détaché un bouton de ma blouse, déjà pas mal échancrée, et passé ma main dans mes cheveux pour les décoiffer un peu. La rougeur de mes joues, la naissance de mes seins exposée, la proximité de Gary, les autres penseraient la même chose : ces deux-là, ils ne se sont pas ennuyés dans le noir ! Et, ayant passé le temps à nous peloter de façon éhontée, nous étions au-dessus de tout soupçon…

Le jeu, du coup, commençait à me plaire. J'imaginais déjà la tête de Corinne…

Mais quand ce jeu est devenu cauchemar, quand

Alain nous a annoncé que Claire était morte pour de bon, j'ai changé de couleur.

Chacun a pu voir les marques de mes doigts autour du cou de Claire. Elles sont nettes. Le plus obtus des policiers n'aura aucun mal à établir que la taille de mes mains et celle des marques correspondent parfaitement.

J'aurai beau prétendre que je ne l'ai pas fait exprès, que Claire est peut-être morte davantage de peur que d'autre chose. Est-ce que ces choses-là existent vraiment ? Mourir de peur ? Non, je rêve…

Je suis dedans jusqu'au cou. Et Gary qui persiste à me défendre ! Pourquoi, à ce stade ? Il s'est mis dans de beaux draps, lui aussi.

Le docteur Côté

Une belle brochette de cinglés ! Seigneur, quelles faces de rats !

Déjà, en arrivant à ce chalet perdu au bord du fleuve, j'étais gelé et crevé. Un trajet éreintant, de la neige plein la figure, une visibilité pratiquement nulle. Belle soirée !

Quand les flics m'ont appelé, j'étais en train de déguster un cognac en me chauffant les orteils devant ma cheminée. Pourquoi moi ? Parce que j'habite à Saint-Vallier, que je suis le seul médecin du village et qu'ils savent que je suis «équipé», comme ils disent.

«Une mort suspecte, m'ont-ils annoncé. Nous envoyons du monde immédiatement. Nous ignorons quand nous serons là-bas. La météo, vous comprenez. En revanche, il y a peut-être quelque chose à faire pour la victime, ne serait-ce que déterminer la cause de la mort.»

Ouais. Et la ressusciter, pendant qu'on y est ?

D'après ce qu'ils m'ont raconté, une femme s'est écroulée subitement au cours d'un de ces jeux de rôles imbéciles qui sont en vogue aujourd'hui. Elle serait morte sur le coup. Quel coup ? Qu'est-ce que ça signifie ? Ils auraient pu demander davantage de détails.

Pas question de prendre la voiture, évidemment, avec cette tempête de neige. J'ai dû me harnacher jusqu'à ressembler à un ours et sortir la motoneige. Quand je pense que j'ai choisi d'exercer dans ce coin pour avoir la paix, après des années de pratique en ville !

J'ai usé ma jeunesse à travailler en hôpital, à Montréal. Des vertes et des pas mûres, j'en ai vu, là-bas. J'en avais jusque-là. Sans compter les réunions, les conférences, les congrès à l'étranger. Ça ne m'intéresse pas, moi, les tropiques ! Ce que j'aime, c'est le fleuve, ma canne à pêche et pas de voisins.

C'est ainsi que j'ai fini à Saint-Vallier. Au calme, enfin ! Ne plus être obligé de parler comme un monsieur, de mettre une cravate... Mon porto, le soir, mon chien au pied du fauteuil... Quand même, de temps en temps, ces inévitables clients de la ville qui viennent jouer les campagnards en fin de semaine et se fouler la cheville ou se planter une écharde dans le doigt en voulant fendre du bois.

J'ai eu du mal à le trouver, ce maudit chalet, mais j'y suis arrivé. De mauvaise humeur. J'ai tambouriné à la porte tellement fort que j'ai bien cru que j'allais la briser.

Enfin du monde. Une blonde longiligne et passablement blême vient m'ouvrir. Sans un mot. Les yeux en soucoupes. On dirait que je suis le père Fouettard en personne ! Je suppose que c'est elle qui a téléphoné. Je suis donc attendu, non ?

— C'est vous qui avez appelé le 9-1-1? je demande d'un ton rogue, puisqu'il semble que ces gens-là ne savent pas dire bonjour.

Elle émet un «oui» à peine audible et s'efface pour me laisser entrer. Je m'avance d'un pas en m'ébrouant à la façon d'un cheval et je referme moi-même la porte après avoir secoué mes bottes en les cognant contre le chambranle.

Je jette un long regard circulaire dans la pièce. Ils sont six, là-dedans, aussi joyeux les uns que les autres. Six tristes zombis assis autour d'un drap étendu au beau milieu de la pièce, sur une forme qui doit être celle de la septième joueuse. Celle qui n'a pas eu de chance...

Bon, allons-y. Ça sent le citadin à plein nez, là-dedans. Il va falloir que je surveille mon langage. Moi aussi, j'ai vécu en ville, qu'est-ce que vous croyez !

— Je suis le docteur Côté, laissé-je tomber d'une voix fatiguée. La police n'est pas encore arrivée, je présume. Ça ne m'étonne qu'à moitié... Puis-je enlever mon manteau ?

Sans attendre la réponse, je retire ma peau d'ours et

mon bonnet à oreillettes, que je tends à la blonde, vu qu'aucune table ni portemanteau ne se trouvait à proximité pour les recevoir.

À part celle qui m'a ouvert, il y a là deux femmes et trois hommes. Les femmes, hormis la grande blonde, paraissent excessivement nerveuses, à la limite de la crise de nerfs.

Les hommes, eux, ont plutôt l'air d'avoir avalé trois cuillerées à soupe d'huile de foie de morue. Ou de soupe à la grimace. Muets comme des tombes, en tout cas. J'aimerais pourtant que quelqu'un me présente la septième invitée. Celle qui est allongée sous le drap. C'est pour elle que j'ai fait le déplacement, non ?

À ce moment-là, un des hommes se lève et s'avance vers moi avec un sourire jaune. Il me tend la main.

— Alain Lemoyen, prononce-t-il d'une voix claire. Donnez-vous la peine d'entrer, docteur.

J'ai envie de lui faire remarquer que je suis «déjà» entré, mais je préfère m'abstenir. Je ne crois pas que ça les dériderait…

Ce Lemoyen, calvitie précoce, brioche naissante, se donne des airs de propriétaire. Il a bien deux fois l'âge des autres, à vue de nez. Un prétentieux. J'ai l'intuition que son nom a toujours été un fardeau pour lui, un véritable calvaire, et qu'aujourd'hui encore il ne vise à briller en société que pour l'oublier.

Le cas est fréquent. Un nom importable, ça stimule

parfois. Un de mes camarades de promotion s'appelait Connard. Il est aujourd'hui radiologiste dans un grand hôpital américain. Heureusement qu'il ne s'appelait pas Asshole, il aurait dû rester au Québec...

Bon. Revenons à nos oiseaux. La jeune femme assise sur le côté gauche lui jette des yeux furibonds, au Lemoyen. Pas son amoureuse, c'est manifeste. Ça ne m'étonne pas. Moi non plus, je n'aime pas le genre hareng sec. Surtout quand il se ronge les ongles jusqu'au sang. Je vais devoir lui administrer un calmant, si elle tient à conserver ses doigts.

Une sorte d'ours — un gars de ma carrure, si vous voyez ce que je veux dire — est assis en face d'elle. Une certaine profondeur dans le regard. Par profondeur, j'entends vide, je précise. Un esprit candide dans un corps de brute. L'allure de l'homme à tout faire de service dans ce type de réunion.

Je parie que c'est lui qui déneigera l'allée demain matin, pendant que les autres lui prodigueront leurs encouragements et que Lemoyen, les pieds dans ses pantoufles, lui expliquera comment s'y prendre depuis le pas de la porte.

En face de moi, enfin, un couple à la mine défaite. Elle, surtout, qui me dévisage d'un air catastrophé et dont je me demande si elle ne va pas tourner de l'œil. Le type, à côté d'elle, lui malaxe distraitement le genou. Les deux ont l'air d'avoir avalé de travers.

L'ambiance est sinistre. Je finis par prendre la main de ce Lemoyen, dont le sourire figé a l'air gravé sur le visage. La main est molle et moite, contrastant avec l'apparence dégagée que tente de se donner mon interlocuteur. Je retire la mienne et l'essuie discrètement sur mon pantalon.

La blonde de l'entrée revient vers nous et m'adresse un sourire douloureux.

— Je vous remercie d'être venu aussi vite, docteur. Nous avons fait notre possible, mais je crains que nos efforts n'aient pas servi à grand-chose.

Elle s'avance vers le drap qui recouvre la forme immobile et, d'un geste assez théâtral, elle le saisit du bout des doigts et le retire de sur le corps allongé sur le sol.

La femme est sur le dos, une jambe légèrement repliée. On dirait qu'elle dort. Plutôt belle, il faut le reconnaître, bien qu'un peu extravagante à mon goût avec cette jupe trop courte et ces boucles d'oreilles qui ressemblent à un mobile de Calder. Le maquillage est également trop appuyé.

Je me demande lequel des hommes présents était son conjoint — si toutefois elle en avait un. Je pencherais pour l'ours. La belle et la bête. Ça me plaît assez…

Je m'approche et m'agenouille auprès de ce joli cadavre, que je commence à examiner.

Évidemment, les marques rouges autour du cou

sautent aux yeux. Le plus imbécile d'entre eux les aura remarquées. Marques de doigts. Assez légères, cependant. Strangulation ? Les traces ne sont pas assez grandes, pas assez appuyées.

Je pencherais davantage pour un arrêt cardiaque. Toutefois, les mains et les membres, que je palpe en divers endroits, semblent complètement détendus, ce qui contraste avec l'idée de mort violente. Étrange...

Autre chose : les lèvres et le menton sont maculés de salive séchée. Bizarre, là encore. Pourquoi la victime a-t-elle bavé ainsi avant de mourir ? On ne bave pas quand on se fait étrangler. En cas d'arrêt cardiaque non plus, d'ailleurs.

Ce symptôme inhabituel ne me suggère rien de précis, bien qu'il éveille en moi des souvenirs diffus que je ne parviens pas à éclaircir. Mes cours de médecine ? Non, ce n'est pas si ancien. Mais ça ne me revient pas. Quoi qu'il en soit, je ne peux pas me prononcer avec aussi peu d'éléments. Une autopsie sera nécessaire. En attendant, je ne sais pas quel diagnostic établir.

En revanche, j'aimerais savoir ce que les personnes présentes ont à raconter.

Je me relève et me tourne vers la blonde, lui demandant de m'expliquer brièvement ce qui s'est passé. Elle hoche la tête et se met à parler d'une voix douce et posée. Son exposé est à la fois bref et précis. Il faut lui reconnaître un certain sang-froid.

Dans ce genre de cas, d'habitude, les témoins nous servent des récits décousus et décrivent davantage ce que leur dictent leur imagination et leurs émotions que ce qu'ils ont vraiment vu. Ce qui n'est pas le cas actuellement.

La jeune femme me détaille sans bafouiller le déroulement de la soirée et du jeu qui en a fait l'objet. L'ennui d'une soirée perdue à cause de la tempête, le jeu, le tirage au sort. Puis l'obscurité, la tension, le râle de la victime. Et la constatation effrayante, un moment plus tard, que la mort de ladite victime n'est pas feinte...

Je constate qu'elle ne me précise pas qui a tenu le rôle de l'assassin. Oubli ? En principe, ce détail est du ressort de la police. Il me semble néanmoins que le témoignage de la dernière personne à avoir approché — touché — la victime me serait précieux pour mon diagnostic.

Je pose donc la question. Et, surprise, personne n'est capable de répondre. C'est hallucinant ! Il y a un cadavre dans cette pièce, il y a quelqu'un qui a tenu son cou dans ses mains avant que la victime s'écroule, et on ne sait pas qui c'est !

Je dévisage ces trois hommes et ces trois femmes. Il ne me faut pas longtemps pour me rendre compte que plusieurs d'entre eux la connaissent, la réponse. Ces yeux qui se baissent, ces échanges de regards furtifs. Ils mentent, c'est flagrant...

Du coup, je m'inquiète. À quel jeu dangereux jouent-ils ? Je me demande si je ne ferais pas mieux de protéger mes arrières. Tout ceci est plus que louche.

Instinctivement, je recule vers la porte, contre laquelle je m'adosse. Il n'est pas question de malaise ou de crise cardiaque. Il y a dans cette pièce quelqu'un qui est mort d'une façon non naturelle, et quelqu'un d'autre qui n'a pas la conscience tranquille, c'est évident. Mais les autres, pourquoi se taisent-ils ? Complices ?

Je commence à me sentir mal à l'aise. La grande maigre, sur ma gauche, me regarde comme si elle était en train de se noyer. Elle sait quelque chose, ça crève les yeux. Pourquoi ne parle-t-elle pas ? A-t-elle été menacée par les autres ? Craint-elle pour sa vie ?

Il y a quand même un détail que je ne m'explique pas. D'après les témoignages, qui n'ont pas été contestés, la victime est tombée alors que la pièce était plongée dans le noir, ainsi que cela était prévu par le jeu. Les marques de doigts sur son cou semblent prouver que l'assassin du jeu a joué son rôle avec une certaine conviction. Cependant, j'en mettrais ma main au feu, la cause de la mort n'est pas la strangulation.

Rien dans la crispation du visage — ou plutôt dans l'absence totale de crispation de ce visage ! — ne corrobore cette hypothèse. De plus, les lèvres auraient dû être cyanosées, les membres et les extrémités raidis.

Or, je suis formel. La vie semble s'être retirée d'un

corps détendu. On dirait que la mort est survenue pendant son sommeil. Ce qui ne correspond pas à la réalité telle qu'on me l'a présentée. Je n'aime pas ça...

Et, à part ça, quelle a été l'arme du crime ?

Je balaie la pièce du regard, comme si la réponse à cette question s'y trouvait dissimulée. En vain. Les murs sont pratiquement nus, à l'exception de quelques objets exposés sur le rebord de la cheminée.

Mes yeux s'y arrêtent. Ces objets me rappellent vaguement quelque chose…

Oui, ça me revient maintenant ! Ce symptôme incongru… Oh, que ça vient de loin !

Je crois que je commence à comprendre…

Rachel

Drôle de bonhomme, ce docteur. Pourquoi reste-t-il muet ? Il est arrivé ici plutôt énervé, l'air d'avoir été dérangé pour une broutille et, maintenant, on dirait qu'il a peur.

Je suis persuadée qu'il a découvert une partie de la vérité à propos de la mort de Claire, une vérité qui l'effraie, qui lui donne envie de détaler d'ici sans demander son reste. Il est adossé contre la porte. Il semble craindre de recevoir un coup de couteau dans le dos.

Je m'avance vers lui.

— Vous vous sentez bien, docteur ? Désirez-vous boire quelque chose ?

La réaction du médecin est immédiate. Il tend la main devant lui, comme pour stopper mon mouvement, et prononce d'une voix saccadée :

— Non, non, rien.

Après un bref silence, il reprend :

— Je n'ai pas soif, je vous remercie.

Je hausse les épaules et vais m'asseoir sur la chaise libre, près de Corinne. Alain, qui est resté debout, propose le fauteuil au visiteur.

— Nous permettez-vous de recouvrir le corps, si vous en avez terminé avec vos investigations ?

Le médecin hoche la tête. Alain reprend le bord du drap et le tend de nouveau sur le corps de Claire. Le docteur Côté suit ses mouvements avec intérêt. Au bout d'un moment, il demande à brûle-pourpoint :

— La victime a-t-elle bu dans le courant de la soirée ?

Alain se retourne vers moi, les sourcils relevés. C'est moi qui réponds :

— Je n'y ai pas prêté attention. Je pense qu'elle a bu la même chose que nous. Nous avons ouvert quelques bouteilles de vin dans l'après-midi. Il y avait aussi de la bière et des jus de fruits. Je ne crois pas que Claire en ait abusé.

— Claire n'était pas une alcoolique, si c'est ce que vous sous-entendez, déclare brusquement Robert.

— Je ne voulais rien insinuer de ce genre, réplique le médecin en le foudroyant du regard. De toute façon, la police aura certainement l'occasion de vous interroger à ce sujet. J'espère simplement que vous n'avez pas lavé les verres.

D'accord, je vois où il veut en venir... Je n'ai pas le

temps de répondre. Alain le fait à ma place, d'un ton plutôt sec :

— Nous n'avons rien lavé. Auriez-vous l'obligeance de nous indiquer la pertinence de ces questions ?

Le docteur Côté cligne des yeux, puis le regarde fixement. Alain a vraiment le don de se rendre désagréable, avec cet air supérieur et ce langage d'académicien qu'il emploie lorsqu'il entend montrer à son entourage que, lui, il a de l'éducation.

— Monsieur Lemoyen, articule lentement le docteur sans le quitter des yeux, et avec un ton aussi pontifiant que celui de son interlocuteur, mais dans lequel je perçois une ironie à peine dissimulée. Il y a dans cette pièce une femme dont le décès subit m'oblige à poser certaines questions. La police ne manquera pas de le faire à son tour, et sans doute avec moins de circonlocutions.

« Vous avez le droit de ne pas y répondre si vous pensez que je n'ai pas l'autorité suffisante pour vous les poser. Il est cependant de mon devoir d'examiner toutes les solutions possibles. Et en particulier les plus plausibles du point de vue médical. »

J'ai l'impression que la mâchoire d'Alain va tomber. Pour ma part, je commence à comprendre. Mais alors, et les marques de doigts sur le cou de Claire ?

— J'ai minutieusement examiné la victime, reprend le docteur Côté, confirmant ainsi ma pensée.

L'hypothèse de la mort par strangulation, qui vient spontanément à l'esprit en voyant les traces rouges sur le cou, est à écarter. Ces marques ne sont pas assez appuyées et le larynx est intact. La totale relaxation du corps et des membres corrobore cette idée.

«De la même manière, l'arrêt cardiaque, quelle qu'en soit la cause, est à éliminer. Je pourrais parler de mort inexpliquée et naturelle — la chose arrive, croyez-moi —, mais mon esprit scientifique s'y oppose pour le moment, et il s'y opposera tant que je n'aurai pas examiné les autres possibilités.»

— Vous voulez dire que…

— Je veux dire que, selon toute vraisemblance, cette dame a été empoisonnée. À partir de là, il s'agit d'établir quel genre de produit a été utilisé, et quel en a été le mode d'absorption. D'où ma question sur les boissons qu'elle a ingurgitées. Est-ce assez clair pour vous ?

Alain se renfrogne, piqué au vif. Le médecin nous regarde attentivement les uns après les autres. Il a l'air de guetter une réaction. Cependant, j'ai l'impression qu'il ne joue pas franc jeu, que les questions qu'il nous pose n'ont pas tant pour but d'élucider tel ou tel aspect du meurtre que de nous égarer sur une fausse piste et de mieux nous piéger par la suite.

En tout cas, la déclaration du docteur Côté a jeté un froid. Claire a donc été empoisonnée ! Étrange. À aucun moment elle n'a été seule dans le courant de la soirée. L'espace est restreint, ici, et nous étions huit, les uns sur les autres. Et plus tard, dans le noir, je ne vois pas comment un poison a pu lui être administré alors qu'aucun d'entre nous ne pouvait seulement voir ses propres mains.

— Quelqu'un est-il sorti de cette pièce après que la mort a été constatée ? demande encore le médecin.

Flottement. Nous affichons un air penaud. Sauf Alain, qui semble réfléchir profondément et lance des regards furtifs dans ma direction. Alain qui blêmit, j'en mettrais ma main au feu. Alain qui, je m'en souviens maintenant, est le premier à s'être approché de Claire lorsque Denis s'est relevé. Lui ?

Non, c'est impossible, pourtant. Claire ne réagissait déjà plus quand Denis s'est agenouillé près d'elle. Il faut donc que le poison ait été inoculé avant son entrée dans la pièce. Je ne comprends plus.

Alain toussote, puis déclare :

— Eh bien, je suis sorti pour accompagner Rachel à l'étage. Nous sommes allés chercher un drap pour recouvrir le corps.

Le docteur Côté ne manifeste aucun intérêt pour cette réponse. Il se tourne vers le mur du fond, où un autre spectacle attire son attention.

Suivant son regard, je constate que Francine est complètement bouleversée et sur le point de s'effondrer.

Gary lui a pris les mains et est en train de lui chuchoter quelque chose à l'oreille. Elle semble acquiescer. Elle relève les yeux en direction du médecin.

Les autres ont remarqué ce manège, y compris le docteur qui plante ses yeux dans ceux de Francine et hoche la tête, comme pour lui signifier : « Allez-y, dites-nous ce que vous avez sur le cœur. »

Cependant, Francine garde le silence. Elle baisse les yeux. Ses mains tremblent légèrement.

Enfin, elle paraît décidée à se jeter à l'eau. Elle relève les yeux, jette un regard désespéré vers Gary, puis elle se tourne vers le docteur Côté et prononce, d'une voix qui sort à grand-peine de sa gorge :

— Claire n'a pas été étranglée, n'est-ce pas ? Elle a été empoisonnée ?

— C'est bien ce que je prétends, réplique calmement le médecin.

Francine se tait de nouveau. Elle se colle contre Gary, recherche son appui. Ces deux-là ont vu quelque chose dans le noir, c'est certain. Et ce secret doit leur brûler la langue. Enfin, la voix un peu tremblée, Francine reprend :

— Quand je l'ai touchée… enfin, quand j'ai mis mes mains autour de son cou, Claire était encore debout. C'est tout ce que je sais.

On dirait que l'effort de cet aveu l'a épuisée. Francine laisse retomber sa tête et elle enfouit son visage dans ses mains. Gary enlace son épaule.

C'était donc elle. Elle l'assassin désigné par la marque noire. Et, depuis le début, elle doit être persuadée que c'est à cause d'elle que Claire est morte. Ce fardeau a dû être insupportable. Comment a-t-elle pu garder le silence ? Et pourtant, avouer qu'elle avait feint d'étrangler Claire au cours du jeu, étant donné le peu d'éléments que nous avions, équivalait presque à un aveu de culpabilité.

La détermination de la cause réelle de la mort par le médecin a modifié les données. Francine ne peut plus être tenue pour responsable du meurtre puisque la strangulation, de même que l'arrêt cardiaque qu'aurait pu provoquer la peur, ont été éliminés.

Du coup, son témoignage devient capital : elle a été la dernière à approcher Claire vivante.

Le docteur Côté n'entend pourtant pas se satisfaire de cette réponse. Ses yeux sont devenus très durs. Il se lève, avance de trois pas dans la direction du canapé et se plante devant Francine tandis que Gary esquisse un geste de défense.

Le médecin passe outre et, s'inclinant vers elle dans une posture qu'on pourrait croire menaçante, il interroge Francine d'un ton plus abrupt. À présent qu'il a obtenu d'elle l'aveu recherché, il estime sans doute ne plus avoir à prendre de gants.

— Vous prétendez que Claire était encore debout

lorsque vous l'avez... disons, étranglée. J'aimerais que vous soyez plus précise. Qu'avez-vous ressenti à son contact ? Vous a-t-elle semblé crispée ?

— Non, répond Francine d'une voix faible, sans quitter le plancher des yeux. Au contraire. J'avoue que ça m'a étonnée, d'ailleurs. Nous savions que Claire était très nerveuse et qu'elle avait par-dessus tout horreur du noir. Une véritable peur panique. Elle aurait dû être aussi tendue qu'une corde de violon. Or elle m'a paru... molle. Oui, c'est ça, complètement molle. Inconsistante. C'était bizarre. Lorsque je l'ai lâchée, j'ai eu l'impression qu'elle tombait, non pas parce que je l'avais étranglée, mais parce que j'avais cessé de la tenir... J'ai éprouvé une sorte de dégoût.

— Vous vous sentiez coupable ?

— Non, non, pas à ce moment-là du moins, ce n'est pas ce que je veux dire. Mes mains étaient encore sur son cou... Une impression désagréable. C'était légèrement visqueux. Comme si... Oui, comme si Claire bavait.

J'éprouve un certain malaise à cette évocation sinistre. Est-ce que le médecin a vraiment besoin de s'entendre préciser ces détails sordides ? Je lui jette un coup d'œil à la dérobée.

Le docteur Côté s'est redressé. Il a l'air de réfléchir intensément. Abandonnant Francine à sa prostration, il laisse aller son regard tout autour du salon pour l'arrêter enfin sur la cheminée. Et c'est là que je comprends qu'il vient de découvrir la vérité.

Il se retourne vers moi et, d'un ton cassant, il me demande :

— Ce chalet vous appartient, n'est-ce pas ?

— En effet, dis-je en m'efforçant de conserver mon calme. Mais...

— Et vous en avez assuré la décoration personnellement ? Vous aimez le Brésil, n'est-ce pas ?

Je me contente de hocher la tête affirmativement. Le médecin reprend aussitôt, d'un ton ayant retrouvé son cynisme :

— Eh bien, vous allez devoir nous expliquer certains de vos choix.

Son sourire est odieux et plein de morgue. Je soutiens pourtant son regard sans faiblir.

Le docteur Côté

Ça y est ! Ça me revient ! Ce symptôme inhabituel de la bave excessive. Il ne m'était pas inconnu, mais je ne parvenais pas à le rattacher à mon expérience médicale. Et pour cause ! Ce n'est pas en tant que médecin que je l'ai rencontré, c'était au cours d'un voyage. Un de ces congrès internationaux que recherchaient tant mes collègues et qui, moi, me fatiguaient.

C'est en regardant une fois de plus les statuettes alignées sur le rebord de la cheminée et qui, elles aussi, depuis un bon moment, me rappelaient quelque chose sans que je parvienne à savoir quoi, que le lien s'est fait soudainement. Le Brésil !

Ces statuettes de céramique, spécialité des Indiens carájas, qui en tirent profit en les fabriquant spécialement pour les touristes, on ne les trouve que là-bas.

Les Carajás vivent dans l'État de Goiás, loin au nord de São Paulo. On n'a pas réussi à les anéantir complètement et les rares survivants — les femmes du moins, qui exercent cet artisanat — ont récupéré cet art pour vivre de son commerce. J'en avais acheté quelques exemplaires entre deux conférences. Après tout, ces gens ont le droit de vivre, et j'étais sûr au moins que ces objets n'avaient pas été fabriqués par des enfants en Extrême-Orient.

Le rapport avec la bave ? À ma connaissance, il n'y a qu'au Brésil qu'on puisse se procurer un poison, un des plus virulents qui soient, qui tue en douceur et sans laisser d'autre trace que cette salivation incontrôlée dans la bouche du patient — pardon, de la victime. Le curare.

Je ne m'attendais évidemment pas à me retrouver confronté à un empoisonnement au curare dans un chalet pris dans la tempête à Saint-Vallier. Et pourtant, c'est bien de ce poison qu'il s'agit et je suis persuadé que l'autopsie me donnera raison.

Si l'effet du curare n'est pas aussi foudroyant qu'on se l'imagine, il est toutefois rapide et discret. En agissant sur la connexion des nerfs moteurs avec les muscles, il plonge la personne atteinte dans une sorte d'engourdissement progressif suivi d'une perte totale du tonus musculaire, puis de la perte de conscience. La mort survient au bout de quelques minutes.

Un des effets de cette paralysie est l'impossibilité de tout contrôle sur les muscles trachéaux, qui sont les premiers à subir l'action du poison. La salive, qui coule sans pouvoir être avalée tant que dure l'agonie, déborde abondamment de la bouche. Quant au corps, dépourvu de tonus, il semble composé de caramel mou.

L'affaire me paraît claire maintenant. Pour une raison que je laisse le soin d'expliquer à la police, cette Rachel a cru bon d'utiliser le curare, qu'elle a probablement rapporté d'un voyage au Brésil en même temps que ses statuettes, sur une de ses invitées.

Comment s'est-elle procuré la substance mortelle? Il y a mille moyens. Il traîne partout, à São Paulo ou ailleurs, des *pagés*, sorciers ou prêtres indiens, ou des *freiticeros*, ou des *macumbeiros*, que sais-je encore, sans parler des *herbarios* qui tiennent boutique. Dans ces immenses villes de la côte brésilienne, qui cherche trouve…

Quoi qu'il en soit, les faits concordent. C'est elle qui a lancé l'invitation, elle qui a proposé ce jeu stupide, elle qui a tout manigancé. Il lui a été facile, à elle qui connaît parfaitement les lieux, de profiter de l'obscurité pour s'approcher rapidement de sa victime et lui inoculer le poison.

De plus, elle seule est sortie de la pièce par la suite, avec Lemoyen — son complice ? —, et elle a donc pu se débarrasser de l'aiguille avec laquelle elle a vraisemblablement opéré. Une aiguille ou une pointe assez fine, puisque le curare est inefficace s'il est ingéré. Il faut absolument qu'il soit directement injecté dans le sang.

Je n'ai pas pensé à vérifier si la victime portait une

trace de piqûre, lors de mon premier examen, le poison n'étant pas encore à l'ordre du jour à ce moment-là, mais ça ne me prendra pas longtemps.

La victime est pour ainsi dire morte debout, vidée de son énergie, et l'autre jeune femme, qui croyait l'avoir étranglée, s'est bornée à lui faire perdre l'équilibre.

La blonde a-t-elle compris que je l'ai démasquée ? Bien sûr. J'ai déjà pu constater ses capacités intellectuelles. Si l'allusion aux statuettes est passée au-dessus des autres, elle a dû être transparente pour elle. En bonne logique, elle ne devrait pas tarder à craquer.

Malgré cela, elle n'a rien perdu de son calme. En plus de son intelligence diabolique, elle possède une maîtrise de soi extraordinaire.

De toute façon, je ne vais pas me risquer à l'affronter. C'est le rôle de la police, pas le mien. En revanche, j'aimerais que les autres finissent par comprendre quel genre de personnage est leur hôtesse. Peut-être, sachant que je connais l'assassin, les langues se délieraient-elles.

L'atmosphère, d'ailleurs, a déjà changé. Les coups d'œil soupçonneux vont bon train, concentrés vers cette Rachel, qui, étrangement, les supporte avec un aplomb impressionnant. Le plus ahuri est certainement le gros bûcheron, qui la dévisage avec des yeux démesurés, comme si, d'un seul coup, il venait de découvrir que sa mère est danseuse nue.

Robert

C'était donc Rachel ! C'est monstrueux ! Comment a-t-elle pu ? Et pourquoi ? Non, ce n'est pas possible, je n'arrive pas à y croire...

Du curare, pourtant, oui, bien sûr. Le docteur Côté nous a tout raconté, de son ton monocorde et cinglant. Et Rachel, pendant ce temps, le regardait sans ciller avec des yeux de glace. Ce calme effrayant... Je dois avouer que j'en éprouvais une certaine fascination. Rachel m'a toujours fasciné.

— C'est à la police qu'il reviendra de trouver l'aiguille qui a servi à piquer la victime, conclut le médecin. Pour ma part, je me contenterai d'en trouver la trace sur sa peau.

Au lieu de s'effondrer, Rachel se dirige vers le corps de Claire, elle se penche vers lui, saisit le rebord du drap et le découvre d'un geste.

— Alors faites-le maintenant, déclare-t-elle. Vous

êtes venu pour ça.

Le docteur Côté hésite un instant, impressionné sans doute par l'incroyable sang-froid de l'accusée. Enfin, il s'avance vers le cadavre.

Il s'agenouille près du visage de Claire, non sans vérifier à plusieurs reprises que personne ne se tient trop près de lui dans son dos, et il commence à palper le cou.

Très vite, il se redresse et fixe Rachel de ses yeux perçants. Et, de nouveau, il se penche sur le corps. Afin de bien nous montrer qu'il ne fabule pas, il fait doucement pivoter la tête de Claire sur le côté droit et écarte avec le pouce le lobe de l'oreille gauche.

— Vous pouvez constater par vous-mêmes, murmure-t-il. La blessure est encore fraîche. Pas vraiment une piqûre, d'ailleurs, plutôt une entaille légère. Effectuée avec une lame de rasoir, peut-être, cela reste à confirmer.

— Ou par des boucles d'oreilles, suggère Alain d'un ton glacé.

Les boucles ?

Le docteur tourne la tête vers lui, sans toutefois lui adresser la parole. Puis il revient à l'oreille gauche de Claire. Il fait tinter dans le creux de sa main les plaques métalliques de l'imposant bijou, comme pour en apprécier l'éclat. Avec une moue dubitative, il laisse tomber dans un sarcasme :

— Vous prétendez que cette grossière ferraille aurait pu laisser une entaille aussi fine dans la peau, monsieur Lemoyen ? Et pourquoi pas une hache, pendant que vous y êtes ?

— C'est pourtant ce qui s'est passé sous nos yeux, réplique Alain. C'est lorsque Denis a brusquement saisi sa femme que cette écorchure s'est produite. Nous avons assisté à la scène.

Le docteur Côté lui lance un regard interrogateur. Alain raconte, dans le détail, le déroulement de cette scène qui a précédé le jeu.

Le médecin se relève, interloqué. Il reprend :

— Cette écorchure, comme vous dites, n'est pas une écorchure. C'est une entaille très légère, je le répète, et qui a été causée par une lame extrêmement fine. Les rebords de ces boucles d'oreilles sont beaucoup trop grossiers pour avoir pu produire un tel effet. Ils n'y sont pour rien.

— Alors…

— Alors c'est très simple. Nous allons tout savoir. Lequel d'entre vous est Denis ?

La question, dans un contexte différent, aurait prêté à rire. Elle n'en est pas moins surprenante. Le docteur Côté nous dévisage gravement les uns après les autres, non sans exprimer une certaine surprise.

C'est Rachel qui rompt le silence :

— Denis n'est pas ici. Il se repose à l'étage, dans ma chambre. Je lui ai donné un somnifère.

Le médecin sursaute.

— Comment ? s'écrie-t-il. Depuis le début, personne n'a jugé bon de me signaler que vous n'étiez pas tous présents dans cette pièce ? C'est invraisemblable !

— Vous n'êtes pas policier, il me semble, crache Alain avec dédain.

Je crois que le docteur Côté l'étranglerait, s'il pouvait. C'est vrai qu'Alain exagère. Je préférerais voir cette sale énigme résolue par un médecin que par des policiers. Je n'aime pas beaucoup la police, je dois l'avouer. En revanche, le moindre élément susceptible de disculper Rachel…

Tandis qu'Alain et le docteur se fusillent du regard, je revois la scène au cours de laquelle Denis s'est accroché avec Claire. Son geste brusque et malhabile, la douleur ressentie par Claire sous l'oreille, la goutte de sang que j'avais à peine eu le temps d'apercevoir…

L'hypothèse du docteur Côté est basée sur sa connaissance incomplète des faits, et je suis horrifié par la vérité que j'entrevois maintenant. En effet, je me souviens des statuettes carájas achetées par Rachel à São Paulo, je l'accompagnais. Mais du curare ? Où, comment ? À aucun moment, durant ce court séjour, nous ne nous sommes quittés d'une semelle.

Tandis que Denis… Son escapade de deux jours à Rio, sa réapparition dans un état de nerfs épouvantable, ses explications fumeuses sur les Indiens qu'il voulait rencontrer… Jamais plus cet épisode de son voyage n'a été évoqué entre nous après notre retour à Québec. Ce serait donc lui…

Ce serait donc lui qui aurait inoculé le terrible poison à Claire en feignant de la bousculer — geste qui ne lui ressemble effectivement pas — et en en profitant pour lui érafler le cou avec je ne sais quel instrument enduit de la substance mortelle ? Pensant que l'écorchure avait été produite par ses propres boucles d'oreilles, Claire n'y avait pas prêté attention. Pourtant, le mal était fait et le poison circulait dans ses veines.

Quelques minutes suffisent pour que le curare fasse son effet, a précisé le docteur tout à l'heure. Les minutes qui ont été nécessaires à la sortie de Denis, à l'extinction des lumières, au déroulement du jeu de l'assassin…

Je ne suis plus capable de garder ça pour moi. Ce n'est pas à moi de charger Denis ni de le juger, mais je ne peux pas laisser Rachel porter le poids de cet assassinat dont le médecin voudrait la voir endosser la responsabilité.

Je me lève et, rompant le silence glacial qui a suivi la dernière remarque d'Alain, je raconte ce que je sais.

Personne ne songe à m'interrompre, sauf le médecin qui, alors que j'en suis à l'épisode où Corinne se jette sur le corps sans vie de Claire pour lui prodiguer un massage cardiaque, précise qu'à ce moment-là, peut-être, Claire aurait pu être sauvée.

— Un tel massage énergique, nous explique-t-il, est la seule façon de contrer l'action paralysante du curare dès son début.

Et je me rappelle avec horreur la réaction inattendue de Denis, qui avait repoussé Corinne avec violence tandis qu'elle massait Claire avec la dernière énergie. Savait-il que son stratagème était à deux doigts d'échouer ? J'en ai des frissons dans le dos.

Sa mise en scène était diabolique. En procédant de cette manière, les soupçons devaient fatalement ne se porter que sur quelqu'un se trouvant dans la même pièce que la victime. L'effet légèrement décalé du curare était son meilleur alibi.

Depuis combien de temps méditait-il ce projet ? Depuis le Brésil, peut-être. Depuis beaucoup plus longtemps, qui sait. Le jeu de l'assassin n'avait été que le prétexte idéal pour le passage à l'acte. Une occasion unique de commettre son crime impunément. Quand je pense qu'il traînait peut-être ce poison sur lui depuis des mois, attendant que l'occasion se présente…

Mon récit terminé, je vais me rasseoir, épuisé. Denis est là-haut, juste au-dessus de nos têtes. Dort-il vraiment ? A-t-il avalé le somnifère que lui a donné Rachel ? Ou nous a-t-il entendus ?

Pourtant, malgré l'horreur que devrait inspirer son geste, je ne peux que me répéter : «Pauvre Denis…»

Denis

C'est fini. Impossible de nier. Je n'aurai même pas à me débarrasser du poison et de la demi-lame de rasoir que j'avais préparés. C'est inutile.

Un minuscule fil de métal que j'avais enchâssé dans une pièce de liège. Un bel instrument. Je le portais souvent sur moi. Ça me rassurait, sans doute. Pourquoi, aujourd'hui, ai-je sauté le pas? Pourquoi l'ai-je enfin enduit de ce curare dont je promène un minuscule flacon dans ma poche depuis des mois comme un talisman?

Ça aurait pu durer des années encore. J'attendais le déclic, le signe qui me ferait basculer dans l'action. Pour une fois dans ma vie... Ce déclic est venu sous la forme d'un jeu. Quelle dérision!

Tant pis. Je ne me sauverai pas. Il y a longtemps que je n'espère plus rien. Je voulais simplement avoir la paix, une fois pour toutes. Me retrouver seul. De ce point de vue, c'est gagné...

Peu importe, dans le fond. On n'est jamais libre, j'ai eu tort de le croire. J'espère seulement que je n'aurai pas à reparaître devant mes amis, qu'on m'évacuera discrètement. Envie de ne voir personne. Et ils en seront contents. *Exit* le monstre, sans fanfare.

Quel monstre, d'ailleurs? Pourquoi serait-ce moi le monstre? Toutes ces années à supporter cette vie misérable, rabaissé, humilié, ma poésie moquée. Une vie de faire-valoir... Je n'en pouvais plus. Les autres ne comprendront pas. Ils n'ont jamais compris. Même Rachel.

Depuis le début, je les entends discuter, en bas. Ça m'aurait presque amusé. Quel psychodrame ! Avec quelle mauvaise foi ils s'accusaient les uns les autres ! Et pourtant, la vérité est venue du plus candide.

Pauvre Robert ! Ses révélations ont dû lui arracher la gorge. Je ne lui en veux pas. Il a fait ça pour Rachel. C'est une bonne raison.

J'aimerais dormir, maintenant.

Il me semble avoir entendu un bruit de moteur, à l'extérieur. Les policiers, enfin ! Dire que s'ils étaient arrivés avant ce médecin, tout le monde aurait cru que Claire était morte étranglée. Par accident. Un jeu stupide. La peur du noir, la tension, que sais-je...

Ce maudit docteur ne pouvait donc pas aller prendre le soleil en Floride comme ses confrères ? Saloperies de statuettes ! Je détesterai le Brésil jusqu'au bout !

Table des matières

Québec, Canada
2005